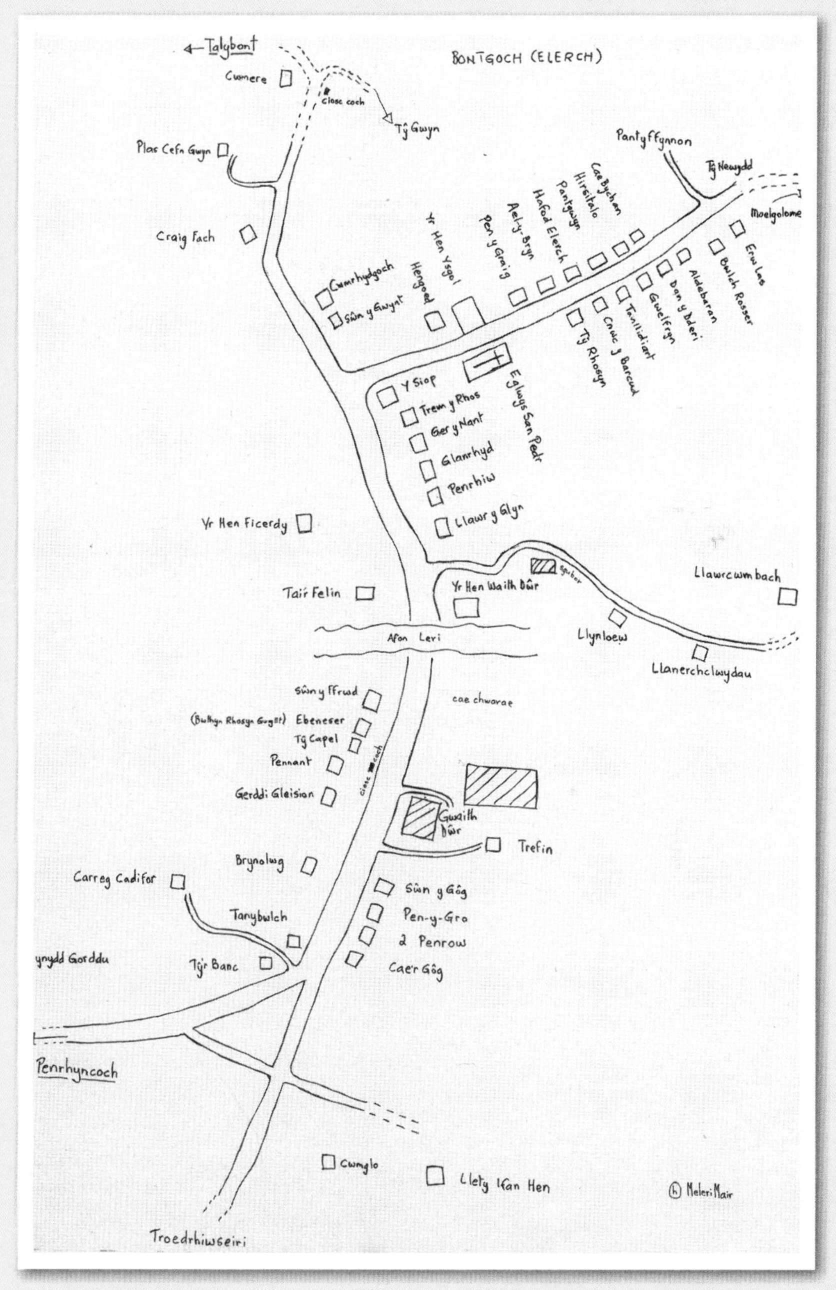

Bras fap o dai a ffermydd cymuned Bont-goch (Elerch), gan Meleri Mair (2017).

ISBN: 978-1-78461-491-1

Argraffwyd gan Y Lolfa Cyf., Tal-y-bont, Ceredigion SY24 5DP.
Cyhoeddwyd gan yr awdur gyda chymorth Cronfa Eleri.

Cyflwyniad

'Tybed fy mod wedi codi awydd ar rywun, yn y dalennau sydd yn y llyfr hwn, i fynd ar bererindod i rai o gartrefi Cymru, neu i grwydro dros fynyddoedd annwyl ein gwlad'.

Owen M. Edwards (1858–1923)

Sail yr astudiaeth hon yw enwau hanesyddol a phresennol tai a ffermydd y gymuned fodern a elwir bellach yn Bont-goch (Elerch). Lleolir Bont-goch (Elerch) tua 7 milltir i'r gogledd-ddwyrain o dref Aberystwyth. Mae *Elerch* yn ei hunan yn enw hanesyddol a diddorol, ac mae ysgolheigion yn weddol gytûn ei fod yn tarddu o'r enw benywaidd *Eleirch*. Cyfeirir hefyd at Bont-goch fel *Pontgoch* yn rheolaidd yng nghofnodion yr Eglwys a'r Cyfrifiad yn arbennig yn ystod y cyfnod 1868 hyd at 1881.

Mae tref neu barsel degwm Elerch yn seiliedig ar un o raniadau hanesyddol plwyf Llanbadarn Fawr, a chyfeirir at 'anialdir Eleirch' yng nghywydd Dafydd ap Gwilym (*fl.* 1320–1380), 'Taith i Garu'. Nodwyd cysylltiadau'r bardd â'r ardal yn 'Tyrd i Elerch', un o gerddi y diweddar J. R. Jones, Tal-y-bont (1923–2002):

Pan fo lampau'r sêr yn winco
Drwy ganghennau Plas Cefn Gwyn,
Daw'r cywyddwr o Frogynin
'Nôl i drampio'r llwybrau hyn.

Mae'r enw Elerch yn sicr yn dyddio o'r 14eg ganrif, ac fe'i sefydlwyd fel plwyf eglwysig mor ddiweddar â 1868 gyda'i ffiniau'n dilyn y dreflan draddodiadol. Canolbwynt y plwyf yw eglwys hanesyddol bwysig St. Pedr, a sefydlwyd yn 1868 gan y Parchg Lewis Gilbertson (1814–1896), Plas Cefn Gwyn, i ymestyn dylanwad uchel-Eglwysig Mudiad Rhydychen. Yn ogystal noddodd Gilbertson ysgol i'r plwyf a adeiladwyd cyn hynny yn 1856, ynghyd â ficerdy a gwblhawyd erbyn 1874. Ychwanegwyd tŷ i'r ysgolfeistr yn ddiweddarach. Bwriad Gilbertson oedd creu adnodd ysbrydol i'r gymuned amaethyddol ac i'r nifer sylweddol o deuluoedd oedd ynghlwm gyda'r gweithfeydd mwyn niferus oedd yn britho'r ardal. Ac fel y nododd yr Athro Ieuan Gwynedd Jones, byddai darparu adeiladau o'r math hwn yn siŵr o gael dylanwad ar yr ardal:

> '*... but there can be no denying that a church, solidly built of the best materials, designed by architects alive to religious symbolism, and flanked by parsonage and school, was bound to exert a profound influence on the neighbourhood in which it was planted*'.

Calon y plwyf yw pentref hirgul Bont-goch, sydd heddiw yn gymuned o rhyw 50 o dai, gyda chyfran uchel ohonynt wedi eu hadeiladu yn gymharol ddiweddar. Mae'r enw Bont-goch yn dyddio o gyfnod diweddarach, ond mae tystiolaeth ddogfennol fod yr enw mewn defnydd erbyn canol y 18fed ganrif.

Mae plwyf Elerch yn ymestyn i 4265 o erwau, ac mae'r ffin ddeheuol yn dilyn Afon Leri o Graig y Pistyll tuag at Bontbren-geifr, lle mae Afon Cyneiniog yn ymuno â hi. Mae ffin orllewinol y plwyf wedyn yn rhedeg gydag Afon Cyneiniog ar hyd unigeddau Cwm Tŷ-nant i chwarel yr Hafan ar gyrion Nant-y-moch, ac mae rhan fechan o ardal Nant-y-moch yn gynwysiedig yn y plwyf. Ar wahân i Ddafydd ap Gwilym (*fl.* 1320–1380) canodd nifer o feirdd eraill am ogoniannau Cwm Eleri. Yn eu plith mae'r bardd gwlad J. Ll. Nuttall (Llwyd Fryniog) a ganodd fel a ganlyn i'r afon:

Craig y pistyll a adewi
Llwybr garw oll a deithi,
Trwy Bont Goch y doi, er syndod,
Pwy all attal sŵn dy dafod?

Ceir cerddi o dipyn gwell safon gan yr Archdderwydd J. J. Williams (1869–1954) a Huw Huws (1909–1993), ac fel y nodwyd eisoes, gan J. R. Jones, Tal-y-bont. Roedd y Prifardd Dewi Emrys (1881–1952) yn ystyried englyn Huw Huws i Gwm Eleri yn gampwaith. Fe'i cyhoeddwyd yn wreiddiol yn ei golofn farddol "Y Babell Awen" ym mhapur newydd *Y Cymro*:

Mor brydferth yw dy berthi – i minnau
Gwm annwyl Eleri!
Caraf dy fwyn aceri
A thrydar dy adar Di.

Yn fwy diweddar cyflwynwyd cerdd Saesneg 'Cwm Eleri' o waith y bardd Eingl-Gymreig Greg Hill ar Lwybr Llên Llanfihangel Genau'r-glyn a chyfansoddodd Carys Briddon, Bleddyn Owen Huws ac eraill benillion i Afon Leri ar gyfer taith gerddorol Gwilym Morus yn Hydref 2015 [http://gwilmor.com], sy'n rhan o brosiect ehangach *hydrocitizenship* 'Cymerau' [http://www.cymerau.org/].

Mae rhan o bentref Bont-goch (Elerch) i'r de o Afon Leri y tu allan i ffiniau plwyf eglwysig Elerch, ac yn gorwedd yn hanesyddol o fewn ffiniau plwyf Llanfihangel Genau'r-glyn, a phlwyf sifil Tirymynach. Fodd bynnag, penderfynwyd cynnwys yr ardal hon yn yr astudiaeth, ynghyd â rhai ffermydd sy'n perthyn yn naturiol i'r pentref, a hynny er mwyn adlewyrchu'r gymuned fodern yn fwy cywir. Heddiw mae plwyf eglwysig Elerch a chymuned gyfan Bont-goch (Elerch) yn syrthio o fewn ffiniau ward etholiadol Ceulanamaesmawr, ac mae'r mwyafrif helaeth o'r tai yn rhannu'r un cod post.

Sail yr astudiaeth hon oedd llyfryn a wobrwywyd yn Nhachwedd 2016 mewn cystadleuaeth a drefnwyd ar y cyd rhwng Cymdeithas Hanes Amaethyddiaeth Ceredigion a Chymdeithas Enwau Lleoedd Cymru i lunio rhestr o 'enwau diflanedig' unrhyw ardal neu blwyf yng Ngheredigion. Handel Jones, Rhandir-mwyn oedd y beirniad. Wrth geisio dehongli pa 'enwau diflanedig' i'w cynnwys yn yr astudiaeth dilynwyd y canllawiau canlynol:

- Nodwyd enwau tai lle mae tystiolaeth ddogfennol o'u bodolaeth, ond lle nad oes modd eu lleoli yn ddaearyddol.
- Nodwyd enwau adfeilion tai lle mae modd eu lleoli.
- Nodwyd enwau tai lle mae'r tŷ gwreiddiol wedi cael ei ddisodli gan dŷ mwy diweddar, neu lle mae dau dŷ wedi eu cyfuno i greu un adeilad.
- Nodwyd enwau tai sydd yn wag ers tro, a lle mae ansicrwydd am eu dyfodol.
- Nodwyd enwau tai lle bu newid yn yr enw o Gymraeg i Saesneg, o Saesneg i'r Gymraeg, neu newid o fewn yr un iaith.
- Nodwyd enwau tai newydd lle mae'r perchennog wedi dewis defnyddio enw hanesyddol o bwys sydd â chysylltiad diddorol â'r ardal.

Fodd bynnag, er mwyn gwneud yr astudiaeth yn un fwy cyflawn, penderfynwyd, cyn ei chyhoeddi, i'w hymestyn i gynnwys *holl* dai y gymuned. Wrth ddilyn y canllawiau gwreiddiol uchod roedd nifer o dai hanesyddol sy'n dal mewn bodolaeth heb eu cynnwys, a thybiwyd y byddai apêl y gwaith yn ehangach o gynnwys y tai hynny ynghyd â rhai mwy diweddar. Tybiwyd hefyd fod rhai rhesymau y tu ôl i'r dewis o enwau ar dai modern y pentref yn ddigon diddorol ac yn werth eu cofnodi.

Roedd dewis y ffurf sy'n ramadegol gywir ar rai enwau yn anodd, gan fod y sillafiad hwnnw braidd yn anghyfarwydd. Er enghraifft, penderfynwyd cadw at *Pantgwyn* yn hytrach na'r ffurf *Pant-gwyn* sy'n gywirach. Yn yr un modd glynwyd at *Bwlchrosser* yn hytrach na *Bwlchroser* er nad yw'r llythyren *s* yn dyblu yn y Gymraeg. Mae unrhyw anghysondebau mewn sillafiad i'w priodoli yn gyfan gwbl i'r awdur.

Carwn ddiolch i Eirlys am ddarllen sawl drafft o'r gwaith, ac i'm cyfaill a'm cyn-gydweithiwr Cledwyn Fychan am wneud nifer o awgrymiadau a gwelliannau gwerthfawr. Rwyf hefyd yn ddyledus iawn i Gareth A. Bevan, cyn-olygydd *Geiriadur Prifysgol Cymru*, ac i Angharad Fychan, un o olygyddion hŷn presennol y *Geiriadur*, am eu parodrwydd i ddarllen y gwaith gorffenedig a chynnig nifer o sylwadau pwysig. Mae unrhyw gamgymeriadau sy'n aros i'w priodoli i'r awdur.

Rwy'n hynod o ddiolchgar hefyd i Owain Hammonds am ei gymorth ymarferol wrth osod y testun (a gwneud hynny yn ddi-dâl), ac am sawl cymwynas garedig. Diolchaf hefyd i'm cymdogion Emyr Davies a Meurig Davies am eu cwmni wrth geisio'n llwyddiannus i olrhain rhai o'r adfeilion.

Mae fy nyled yn fawr iawn i Gronfa Eleri am gefnogaeth hael gyda'r costau cyhoeddi, ac i staff Y Lolfa am ymgymryd gyda'r gwaith argraffu. Bu Paul Williams, Rheolwr Gwaith y Wasg, yn arbennig o gefnogol ac amyneddgar. Nodir diolchiadau ychwanegol yn Atodiad III.

Cyflwynir unrhyw elw a wneir o'r gwaith i elusen Ambiwlans Awyr Cymru.

Ceir yr atodiadau canlynol:

- Atodiad I: Rhestr o dai presennol cymuned Bont-goch (Elerch).
- Atodiad II: Llyfryddiaeth: Rhestr o'r ffynonellau a ddefnyddiwyd yn yr astudiaeth.
- Atodiad III: Diolchiadau.

Richard E. Huws
Pantgwyn, Bont-goch (Elerch), Ceredigion SY24 5DP
rehuws@aol.com

Ael-y-bryn

SN 68436 86499

Datblygiad newydd tua 1975–76 gan Ken a Linda Edwards ar dir Elerch House. Enwyd y tŷ yn *Ael-y-bryn* gan ei fod wedi ei adeiladu ychydig i fyny'r rhiw sy'n dringo heibio Eglwys Elerch ar ddarn mwy gwastad o'r ffordd.

Aldebaran

SN 68566 86523

Datblygiad newydd gan Alf a Joanna Engelcamp yn 1996–97 ar dir Bwlchrosser. Dewiswyd yr enw Arabaidd Aldebaran, seren ddisgleiriaf y clwstwr *Taurus*, gan Joanna Engelcamp.

Allt-ddu

SN 72275 87796

Allt-ddu yw'r fferm uchaf yng Nghwm Cyneiniog, sy'n gorwedd o dan olion y Plynlimon & Hafan Tramway a redai rhwng 1897 a 1899 o chwarel yr Hafan, heibio gwaith mwyn Bwlch-glas hyd at orsaf drên Llandre. Nodir yr enw *Alltddu* yng nghofrestr Llanbadarn Fawr yn 1734, yn rhestr rhydd-ddeiliaid Ceredigion yn 1760, ym mhob Cyfrifiad rhwng 1841 a 1901, ar fap

Rheilffordd yr Hafan yn dangos fferm a Chraig Allt-ddu (tua 1898).

Olion Allt-ddu gyda fferm Cyneiniog yn y cefndir (2006).

degwm plwyf Llanbadarn Fawr (1846), a map Arolwg Ordnans 25" (1887). Roedd gwraig weddw, Mary Ann Morgans, yn ffermio yno yn ôl Cyfrifiad 1911, ac roedd y tŷ yn gartref hyd at o leiaf ddechrau'r Ail Ryfel Byd. Cofnodir Edward a Hannah Hughes yn byw yno ar Gofrestr Etholwyr 1935. Mae'r elfen *Allt* hefyd yn bresennol yn yr enw hyfryd *Alltgochymynydd* [SN 70740 88114], ffermdy hanesyddol a leolir yr ochr arall i Afon Cyneiniog ac nid nepell o'r Allt-ddu. Defnyddiwyd ffermdy *Alltgochymynydd* fel lleoliad i bennod gyntaf ail gyfres deledu *Y Gwyll* a ddarlledwyd ym Medi 2015.

Blaenddôl

SN 70716 85364

Mae cynllun o fferm Llawrcwmbach [Gogerddan 381], dyddiedig 1859, yn cofnodi 'old ruin of Blaen Ddole', sydd union 600 llath i'r dwyrain tuag at Graig y Pistyll o'r tŷ fferm. Hwn yw'r unig gyfeiriad a welwyd at y safle. Mae'r olion, fodd bynnag, yn anodd i'w hadnabod gyda sicrwydd gan fod y darn hwn o'r fferm yn cynnwys adfeilion sylweddol yn gysylltiedig â gwaith mwyn Llawrcwmbach [SN 70702 85389] a leolwyd yn agos iawn at y ffermdy.

Bryn-mawr

Cyfeirir ato fel *Tyddyn y brinmawr* yn 1758 [Maesnewydd 20]. Nid yw lleoliad y tŷ yn wybyddus, ond nodir ei fod o fewn maestref Elerch.

Brynolwg

SN 68114 85966

Datblygiad newydd i Geraint Jones a Nicola Morgan ar dir Gerddigleision, (Gerddi Glandŵr adeg hynny). Adeiladwyd y tŷ yn 1992–94 a symudodd y teulu i fyw yno ar 5 Rhagfyr 1994. Awgrymodd ffrind yr enw Mountain View i'r teulu, ond gan eu bod am ddewis enw Cymraeg, cytunwyd yn hytrach ar Brynolwg.

Brynybarcud

Cyfeirir at *Tythin Bryn y Barke*d mewn dogfen ddyddiedig 1597 [W. Isaac Williams 3]. Ceir cyfeiriadau pellach yn 1719 [Gwynfryn 197], yn 1780 [Glansevern 11501], a 1820 [British Records Association 1235/26]. Mae'r lleoliad yn anhysbys, ond ymddengys ei fod rhywle yng nghyffiniau ffermdy Bwlchrosser, un o dai hynaf y plwyf. Mae Cnwc-y-barcud, tŷ modern o fewn ffiniau'r plwyf, sydd yn agos at leoliad tebygol y tyddyn a nodir yma, wedi sicrhau parhad yr elfen *barcud* ymhlith enwau tai y plwyf. Mae'r aderyn hwn yn un cyfarwydd i drigolion yr ardal, ac yn ardal Craig y Pistyll cofnodir yr enw *Craig y Barkit* ar un o fapiau cynnar ystad Gogerddan [NLW Maps 37].

Bwlch y Pant Mawr

SN 69479 87450

Ceir tystiolaeth mai *Tyddyn Bwlch y Pant Mawr* oedd enw gwreiddiol Moelgolomen, un o ffermydd pwysicaf yr ardal. Mae gweithred ddyddiedig 1701 [Gwynfryn 133], yn gosod amodau cytundeb ar forgais rhwng William Thomas a Simon Morrys ar eiddo yn dwyn yr enw '*Tythin Bwlch y Pant mawr alias Moel y Golomen, ... Elerch*'. Mae tŷ presennol Moelgolomen yn dyddio o'r 19eg ganrif, ond mae yno hefyd gasgliad da o adeiladau cynharach, yn cynnwys mur cefn tŷ o gyfnod blaenorol. Adwaenir y fferm ar lafar yn lleol fel *Y Foel*, ac os byddir yn cerdded ar hyd y ffordd galed sy'n rhedeg mewn cylch o Bont-goch i Foelgolomen gan ddychwelyd heibio Cwmere cyfeirir at hyn fel mynd am dro 'rownd y Foel'.

Bwlch yr adwy

SN 71596 86980

Olion lluest Bwlch yr adwy (2016).

Cyfrifir Bwlch yr adwy fel un o'r ffyrdd a ddefnyddiwyd yn gynnar iawn i gyrraedd tiroedd uchel Pumlumon, ond erbyn heddiw mae'n ffordd sy'n arwain drwy'r bwlch yn gyrchfan boblogaidd i feicwyr wrth iddynt ddilyn Llwybr Syfydrin. Cofnodir *Llyest called Bwlchyradwy* yn llyfrau rhent Gogerddan yn 1714 a cheir *Bwlch-yr-Adwy* fel 'homestead' ar fap degwm Llanbadarn Fawr (1846), ond ni cheir tystiolaeth yn yr un Cyfrifiad ei fod wedi ei ddefnyddio fel tŷ annedd parhaol. Mae olion amlwg i'w gweld yno o hyd, a chofnodir yr enw ar fapiau modern yr Arolwg Ordnans 1 50000. Mae'r bardd J. R. Jones (1923–2002), Tal-y-bont, yn cyfeirio at y bwlch yn un o'i gerddi enwocaf, 'Yng Nghwm Eleri':

Mae'n oer yng nghwm Eleri,
Pan ddaw'r fflangellwr main,
I lawr drwy Fwlch-yr-Adwy
Â'i chwip fel pigau'r drain.

Awgryma Angharad Fychan mai *adwy* neu *agoriad* yng nghlawdd y mynydd, sydd dan sylw yma. Y *clawdd mynydd* neu'r *clawdd eithaf* oedd yn gwahanu'r tiroedd isel amgaeedig a gâi eu pori yn ystod y gaeaf, a'r mynydd agored y byddid yn gyrru'r anifeiliaid iddynt yn yr haf. Ceir yr elfen debyg *ffin*, mewn enwau megis Pant-y-ffin a drafodir isod.

Bwlch-glas

SN 70379 87455

Mae fferm Bwlch-glas, sy'n sefyll uwchben nant yn dwyn yr un enw, yn wag bellach, ond mae'r adeiladau yn dal i sefyll. Cyfeirir at 'Robert Hugh of Bwlch Glas' yn ewyllys Hugh John, Allt Goch [Alltgochymynydd] a brofwyd yn 1719. Profwyd ewyllys Robert Hugh yn 1730. Cofnodir enw *Bwlchglas* yn nghofrestr Llanbadarn Fawr yn 1731, yn 1758 fel *Tyddyn y bwlch glas* [Maesnewydd 124], ac yn rhestr rhydd-ddeiliaid Ceredigion yn 1760 fel *Bwlchglase*. Mae'r enw yn ymddangos yn rheolaidd ym mhob Cyfrifiad rhwng 1841 a 1911, ar fap degwm Llanbadarn Fawr (1846), ac ar fapiau 25"

Bwlch-glas (2005).

Arolwg Ordnans (1887) a 6" (1906). Fe'i nodwyd hefyd ar fap Arolwg Ordnans Pathfinder 927 (1987). Mae'r tŷ yn dyddio o'r 19fed ganrif, ond mae olion tŷ cynharach y tu cefn iddo sy'n rhan bellach o'r adeiladau allanol. Yn 1861 roedd y fferm yn ymestyn i 363 o erwau.

Lleolwyd gwaith mwyn Bwlch-glas [SN 70996 87756] yn y cwm nesaf, ac ar un adeg cyflogai 304 o weithwyr cyn cau yn 1921 ar ddiwedd y Rhyfel Mawr. (Codwyd dros 1,200 tunnell o fwyn plwm yno rhwng 1909 a 1916).

Defnyddiwyd y tir gwastraff sydd gyferbyn â gwaith Bwlch-glas i adeiladu a ffilmio gorsaf betrol a siop ar gyfer ail gyfres *Y Gwyll,* a ddarlledwyd yn 2015. Wrth ymddangos ar raglen *Jonathan* ar 9 Hydref 2015, adeg Cwpan Rygbi'r Byd, adroddodd Mali Harries, un o brif actorion *Y Gwyll,* stori ddoniol am yr orsaf betrol. Mae'n debyg i un o'r ffermwyr lleol alw yno gan obeithio llenwi ei gerbyd gyda diesel!

Bwlchrosser

SN 68784 86576

Cafodd y tŷ presennol ei adfer o olion y tŷ gwreiddiol yn ystod y 1980au. Mae'r safle yn sicr yn dyddio o gyfnod mor gynnar â'r 17eg ganrif, neu hyd

Bwlchrosser (1985) – cyn ei adnewyddu. (Llun: *Ein canrif*).

Bwlchrosser (2017).

yn oed cynt. Cofnodir y ffurf *Bwlch y Rhosser* mewn gweithred yn dyddio o 1662 [Gwynfryn 221]. Bu Bwlchrosser yn arwyddocaol yn hanes datblygiad y Bedyddwyr yn yr ardal. Yma, ar ddechrau'r 19eg ganrif, y bu Samuel Breeze (1772–1812) yn pregethu. Yno yr oedd James James yn byw ar y pryd, sef tad-cu J. Spinther James (1837–1914), hanesydd y Bedyddwyr. Roedd fferm Bwlchrosser yn un sylweddol ac yn ymestyn i 221 erw o dir yn 1861.

Mae'r stori y tu ôl i adfer yr adeilad yn cael ei adrodd yn fanwl iawn gan y diweddar John Dare, y perchennog, mewn pennod ddifyr yn y gyfrol *Ein Canrif.* Tua 1880 adeiladwyd tŷ newydd y tu cefn i'r adeiladau gwreiddiol, ac yno i ddechrau y bu Mr a Mrs Dare yn byw tra'n gweithio ar adfer yr hen adeiladau. Ar ôl gorffen y gwaith hwnnw gwerthwyd y tŷ fferm newydd, ac aethpwyd â'r enw Bwlchrosser gyda nhw a'i roi ar y tai allanol a adferwyd mor llwyddiannus. Enwyd y tŷ fferm yn Erw-las gan berchnogion newydd a ddaeth yno i fyw yn 1985.

Nid oes sicrwydd beth yw tarddiad yr enw Bwlchrosser, sef y ffurf sydd wedi goroesi dros y canrifoedd, a'r ffurf a gofnodir yn gyson yn y Cyfrifiad. Nid oes tystiolaeth gadarn i awgrymu mai enw personol yw'r ail elfen, ond deallaf fod y diweddar R. J. Thomas (1908–1976), golygydd *Geiriadur Prifysgol Cymru*, yn bleidiol i'r awgrym mai'r enw *Rhosier* [Roger] sydd yma. Mae hynny yn cyd-daro gyda thraddodiad ymhlith teulu Jones Bwlchrossser mai enw lleidr pen-ffordd oedd Rosser, gŵr a fyddai'n ymosod ar deithwyr wrth iddynt fynd trwy'r 'bwlch'! Adroddwyd hynny gan William John Jones (1908–2005) i'w gymydog Richard Hamp ar ddechrau'r 1970au.

Posibilrwydd arall yw fod yr elfen *rhosser* a geir yn y cofnod cynharaf yn deillio o'r enwau *rhos* + *tir*, neu *rhos* + *hir*, a byddai'r ddau gyfuniad yn addas i'r lleoliad a'r tirlun. Beth bynnag yw'r dehongliad cywir ymddengys fod cyfreithwyr ystad y Gwynfryn wedi camsillafu'r enw gwreiddiol.

Bwthyn Rhosyn Gwyllt

SN 68314 86203

Enw gwreiddiol Bwthyn Rhosyn Gwyllt oedd Ebenezer, capel a godwyd yn 1835–36. Ceir tystiolaeth fod Isaac Jenkins wedi cynnal cyfarfod pregethu o dan nawdd y Methodistiaid yn Llannerchclwydau, ffermdy tua hanner milltir o ganol y pentref, ac erbyn 1833 ffurfiwyd cymdeithas Wesleaidd o 10-12 o addolwyr yn yr ardal, ac arferent gwrdd yn rheolaidd yn Nhai'r Felin. Roedd hynny'n arwydd clir fod yna alw am addoldy parhaol, ac ar 25 Mawrth

Capel Ebeneser a'r Tŷ Capel (1986). Gwelir Sŵn-y-ffrwd i'r dde.

1835 llwyddodd y Parchg William Davies, Aberystwyth, i sicrhau les ar 20 llath sgwâr o dir ystad Trawsgoed i adeiladu capel a thŷ capel ynghlwm â'r adeilad [Crosswood I.1422]. Enwyd y capel yn Ebenezer, ac ar 28–29 Mehefin 1836, yn ôl adroddiad cyfredol yng nghylchgrawn *Yr Eurgrawn* gan William Davies, daeth tyrfa o tua 900 i ddathlu'r achlysur mewn cyfres o gyfarfodydd pregethu. Helaethwyd yr adeilad yn 1874, a chynhaliwyd gwasanaethau yno yn gyson hyd at yr olaf ar 12 Hydref 1986. Bu'n ganolfan grefyddol a chymdeithasol bwysig a bywiog i ardal eang am ganrif a hanner. Ceir tystiolaeth lafar yn awgrymu bodolaeth tri bwthyn ar y safle cyn codi'r capel, ond nid oedd modd cadarnhau hynny gydag unrhyw sicrwydd, ac nid yw'r weithred wreiddiol a nodwyd uchod yn awgrymu hynny.

Ar ôl ei ddatgorffori fe addaswyd y capel yn dŷ, gyda'r enw Ebeneser, yn ei ffurf Gymraeg, yn parhau arno. Addaswyd a helaethwyd y Tŷ Capel tua'r un adeg. Pan werthwyd Ebeneser yn 2008, newidiodd y perchennog newydd yr enw i Bwthyn Rhosyn Gwyllt.

Cae Bychan

SN 68506 86545

Byngalo modern yw Cae Bychan a adeiladwyd yn 1982, sy'n cymryd ei enw oddi wrth y cae bychan sydd ar waelod *Cae Pantgwyn* lle lleolir y tŷ. Pwrcaswyd y tir ar 26 Hydref 1979 oddi ar fferm Pantyffynnon gan Michael a Jane Taun am swm o £4000. Caniatawyd adeiladu tŷ pren newydd yn ei ymyl yn 2006, a'i alw'n Hirsitalo, y gair Ffinneg am dŷ coed. Mae Cae Bychan yn dal i sefyll, ond yn wag, ac mae ei ddyfodol fel adeilad yn ansicr, â'r enw hefyd yn debygol o ddiflannu.

Cae'r-gog

SN 68103 85887

Datblygiad newydd yn 1987, ar dir Cwm-glo i Peter a Pam Fleming. Dewiswyd yr enw gan fod y gog i'w chlywed yn canu yng nghoed Carregydifor sydd gyferbyn â'r tŷ.

Rhoddwyd caniatâd cynllunio i godi tŷ ar y tir sy'n ffinio â Chae'r-gog, ac mae'r seiliau eisoes yn eu lle [SN 68068 85848].

Camddwr Bach

SN 74900 87500

Ceir cyfeiriad cynnar at *Camddwrbach* yn 1756 [Cwrtmawr 287], a dengys un o fapiau ystad Gogerddan, dyddiedig 1788, fod y fferm yn ymestyn i 274 erw o dir [NLW Maps 37]. Fe'i cofnodir hefyd ar fap degwm Llanbadarn Fawr (1846), map Arolwg Ordnans 25" (1887) ac ar bob Cyfrifiad hyd at 1881, ond nodir fod y tŷ yn wag yn 1901. Erbyn diwedd y 19eg ganrif roedd rhan o'r tir yn ffurfio gwaith mwyn y South Cambrian [SN 73930 88564]. Agorwyd y gwaith yn 1878, ond ni fu'n llwyddiant ac ymhen tua pum mlynedd roedd y gwaith wedi cau. Ar droad y ganrif ceisiwyd chwilio am fwynau mewn safle gyfagos, ond methiant fu'r ymgais honno yn ogystal ar ôl llwyddo i godi ond 26 tunnell o *blende*. Mae safle wreiddiol ffermdy *Camddwrbach* bellach o dan gronfa ddŵr Nant-y-moch.

Camddwr Bitty

SN 73870 88430

Ymddengys mai *Camddwrbitty*, yn ôl un o fapiau ystad Gogerddan [NLW Maps 37], oedd yr enw a fathwyd ar gyfer tŷ arall a sefydlwyd o'r un enw â Camddwr Bach. Roedd hwnnw ychydig o gannoedd o lathenni i'r de-orllewin, a ddaeth ymhen amser i gael ei adnabod fel *Camddwrbiti*, gyda'r elfen *biti* yn cyfleu llai fyth, neu *tiny* yn Saesneg. Cofnodir y ffurf yma am y tro cyntaf yng nghofrestri Llanbadarn Fawr yn 1817. Ceir yr enw mewn ffurfiau amrywiol ar bob Cyfrifiad rhwng 1841 a 1891, ac fe'i nodir ar fap degwm Llanbadarn Fawr (1846) ac ar fapiau Arolwg Ordnans 25" (1887) a 6" (1906). Ymddengys fod y tŷ yn wag yn 1901, a hynny o bosib yn dilyn gorchymyn dyddiedig 1896, gan John Jones, Alltgochymynydd at David Owen ('Dafydd Owen, Lluest Fach'), Camddwr Bitty, Elerch, yn terfynu ei wasanaeth fel bugail [NLW MS 21,820].

Mae'n bur debyg fod Camddwr Bach a Chamddwr Bitty yn gysylltiedig ag uned fwy Camddwr Mawr [SN 749 875], a orweddai y tu allan i ffiniau plwyf Elerch, ac sydd erbyn hyn o dan gronfa Nant-y-moch.

Carregydifor

SN 67847 86197

Mae hwn yn enw sydd ag amrywiadau diddorol. Lleolir Carregydifor ar ochr Tirymynach i Afon Leri, ac fe'i cofnodir fel 'cottage' ar dir Mynydd Gorddu ar fap degwm Llanfihangel Genau'r-glyn (1845). Yn y Cyfrifiad ac ar gofrestri plwyf Elerch cofnodir y ffurfiau *Car(r)egdifor, Carregydwyfor, Carregydufor, Carreg Cadifor a Car(r)egydifor* yn lled gyson yn ystod ail hanner y 19eg ganrif. Nodir *Coedcadifor* (1837) a *Craigcadifor* yng nghofrestr claddedigaethau Llanfihangel Genau'r-glyn. Fel yn achos Pantgwyn, roedd yma ar un adeg teras o dri thŷ.

Ymddengys fod ymgais i fabwysiadau'r ffurf *Carreg Cadifor* gan berchennog newydd yn ystod y 1950au, ond ceir sawl enghraifft yn gynharach o'r defnydd o'r ffurf hwnnw. Fe'i cofnodwyd yng Nghyfrifiad 1871, ac yng nghofrestr priodasau Eglwys Elerch yn 1891, ac eto yn 1919 pan gyflwynwyd deiseb i Gyngor Gwledig Aberystwyth yn cwyno am gyflwr y ffordd rhwng *Ysgubor y Banc* [Tŷ'r Banc] a *Charregcadifor* [*Cambrian News*, 31 January 1919]. Dyna'r ffurf hefyd a ddefnyddiwyd yn *Ein Canrif* gan Carys Briddon.

Mae yna chwedl sy'n adrodd stori am fwystfil rheibus oedd yn poenydio'r trigolion ac yn dinistrio eu heiddo. Penderfynwyd mynd ati i'w ddal, ac ar ôl llwyddo, fe'i llusgwyd i lawr y bryn a'i losgi ar garreg fawr a leolir o flaen y bwthyn – sef *Carreg Cadifor.* Clywais un awgrym fod y garreg wedi ei henwi ar ôl gŵr o'r enw Cadifor, oedd yn gysylltiedig a chastell Pendinas [SN 67709 87722] sydd tua milltir gerllaw.

Cefn Gwyn *gweler:* **Plas Cefn Gwyn**

Cnwc-y-barcud

SN 68497 86499

Datblygiad newydd a gwblhawyd yn 1998 i Alun G. a Cathy Jones ar dir Penybanc, Penrhyn-coch. Mae'r enw yn deillio o awgrym a wnaethpwyd gan dad Alun, sef Cecil Jones, Bron-y-garn, Llandre. Arferai Cecil Jones symud hyd at bedair mil o ddefaid o fferm Glanfread i ardal Nant-y-moch, ac yn ymyl troad Nant llwyn iâr ym Mlaen Ceulan, ceir boncyff a adnabyddir fel

Cnwc-y-barcud [SN 71620 89769]. Cofnodwyd yr un enw, gyda'r amrywiad Cnwc-y-barcut, yng Nghwmystwyth a Llangwyryfon. *Gweler hefyd:* **Brynybarcud**

Cotty'r Bont / Cotty y Peri *gweler:* **Sŵn-y-ffrwd**

Craig Fach

SN 68160 86728

Tŷ cymharol newydd yw hwn a godwyd yn 1991, ac mae'r enw a roddwyd arno gan Dafydd Parry yn un hynafol a diddorol. Saif y tŷ rhwng mynedfa Plas Cefn Gwyn a thŷ Cwmrhydgoch. Cyfeiria'r enw at graig a welir yn glir ar ochr chwith y ffordd nid nepell o'r tŷ i gyferiad Cwmrhydgoch. Fe'i hadwaenir ar lafar fel *craig fach*, ac yn ôl pob tebyg roedd yn atyniad i blant lleol gan fod yno goeden eirin lewyrchus. Ceir yr elfen *craig* mewn rhai enwau eraill yn y pentre, megis Pen-y-graig, a saif ar ddiwedd craig sy'n rhedeg o dan yr holl dai cyfagos.

Lleoliad y graig fach ar ochr chwith y ffordd (2015).

Cwmere

SN 68356 88226

Mae Cwmere yn un o ffermydd mwyaf cyfarwydd y plwyf ac fe'i cysylltir gydag un o gymeriadau lliwgar yr ardal a aned yno, sef y diweddar Hilda Thomas (1914–2008), un a fu'n gyfarwydd iawn i'r genedl oherwydd ei chyfraniadau cyson i *Stondin Sulwyn* ar Radio Cymru fel a nodwyd yn hunangofiant y darlledwr. Gweithiodd yn ddiflino dros ei milltir sgwâr a bu ei chyfraniad i Eglwys St. Pedr, Elerch a *Phapur Pawb* yn amhrisiadwy. Mae'r tŷ fferm yn un o'r mwyaf hynafol yn y plwyf, ac mae ei adeiladau allanol yn hynod o gelfydd a phwysig. Yn un ohonynt ceir simne drawiadol sy'n dal mewn cyflwr da, ac yno yr arferai'r perchennog bobi bara a pharatoi cawl mewn pair pwrpasol.

Cyfeirir at Cwmere mewn rhestr o rydd-ddeiliaid tiroedd yn Ngheredigion yn 1760, gyda throednodyn yn cyfeirio at setliad priodas dipyn cynharach yn 1719 yn ymwneud ag Anne Lloyd, merch Francis David Lloyd, y perchennog. Priododd Jane Lloyd, merch Cwmere, â Thomas Richards (1754–1837), person Darowen. Bu i Thomas a Jane Richards wyth o blant, sef pum mab a thair merch. Codwyd pob un o'r meibion yn glerigwyr. Ceir cyfeiriad cynnar hefyd at y fferm yng nghofrestr plwyf Llanbadarn Fawr yn 1769.

Cwmere (2015). (Llun: Owain Hammonds).

Noda *Geiriadur Prifysgol Cymru* mai ystyr *cymer* yw man cyfarfod mwy nag un afon neu nant, a bod y ffurf dafodieithol *Cwmere* ar yr enw *cymerau* yn gyfarwydd mewn enwau lleoedd. Mae tair afon yn cwrdd yn ymyl y tŷ fferm, sef Leri, Cwmere (Nant Perfedd) a Chyneiniog. Dioddefodd y fferm yn enbyd gan lifogydd yn dilyn storm dorgwmwl ym Mehefin 1935.

Cwmere Bach

SN 68558 88449

Ceir cyfeiriad ato yng nghofrestr Llanbadarn Fawr yn 1812, ac fe'i rhestrir ar fap degwm Llanbadarn Fawr (1846) fel 'homestead' *Cwmereu bach.* Fe'i lleolir ger fferm Cwmere ar y ffordd galed i Gwm Tŷ-nant, ac ymddengys ei fod yn gartref i ddau deulu yn ôl Cyfrifiad 1841. Roedd un o'r teuluoedd hynny yn parhau i fyw yno yn 1851. Nid oes cofnod ohono ar ôl y dyddiad hwn, a does fawr iawn o olion i'w gweld erbyn hyn, ond mae codiad amlwg yn y tir yn dynodi lleoliad y tŷ. Yn Cwmere Bach y cynhaliwyd ysgol Sul gan yr Annibynwyr cyn codi Capel Bethesda [SN 69403 8852594] gerllaw fferm Tŷ-nant yn 1855.

Safle Cwmere Bach lle gwelir y codiad tir (2015).

Cwm-glo

SN 68170 85243

Lleolir olion Cwm-glo Bach [SN 67949 85364] ger Troedrhiwseiri yng nghymuned Tirymynach. Nodir 'Old house & premises' ar y safle ar fap degwm plwyf Llanfihangel Genau'r-glyn (1845), yn ogystal â fferm *Cwm-y-glo* a ddisgrifir fel 'house, buildings, yards and garden', oedd yn ymestyn i 100 erw yn 1861. Cofnodir *Cwm-y-glo Bach* a *Chwm-y-glo* hefyd ar fap Arolwg Ordnans 25" (1887), ac eto ar fap 1906.

Tybir fod *Cwm-y-glo Bach* yn dŷ cynharach na *Chwm-y-glo,* ac mae hwnnw a gofnodir fel Cwm-y-glo ar ddogfen ddyddiedig 1755 [Crosswood I.888], fel *Cwmglo House* ar fapiau a luniwyd gan T. Lewis yn 1778 [Crosswood 345], ac ar gyfres o fapiau o'r 'Court Grange Estate belonging to the Earl of Lisburne, mapp'd by T. Lewis' [NLW Maps Vol. 38] sydd hefyd yn dyddio o 1778. Bedyddiwyd plant i William Jones, mwynwr, ac Elizabeth ei wraig, *Hen Cwmglo,* yn Eglwys Elerch yn 1878 a 1880, a chofnodir y teulu yn byw yn *Hengwmyglo* yng Nghyfrifiad 1881. Hefyd yn 1878 bedyddiwyd plentyn i John Humphreys, mwynwr, a'i briod a nodwyd eu cyfeiriad fel *Cwmglo Bach,* ond cofnodir cartref Humphreys fel *Hengwmyglo* yn 1881, sy'n awgrymu, efallai, fod *Cwm-glo Bach* a *Hen Gwmglo* yn enwau gwahanol ar yr un tŷ. Claddwyd Anne, merch John a Mary Evans, *Cwmglo Bach* ym mynwent

Olion Cwm-glo Bach (2015).

Capel Ebeneser, Bont-goch ar 4 Awst 1886, yn 7 oed. Roedd William John Roberts, mwynwr, a'i deulu yn dal i fyw yng *Nghwm-y-glo Bach* yn 1911.

Mewn troednodyn yn ei gyfrol o gerddi Dafydd ap Gwilym mae'r Athro Dafydd Johnston yn ein hatgoffa y barnai Dr David Jenkins mai *Nant-y-glo* oedd enw gwreiddiol y dyffryn y lleolid *Cwm-y-glo* (neu *Gwm-y-gro* yn wreiddiol) ynddo. Enwir *Cwm y Gro* yn y cywydd 'Galw ar Ddwynwen' o waith Dafydd ap Gwilym (*fl.* 1320–1380).

Mae tŷ fferm Cwm-glo yn parhau i fod yn gartref teuluol, ac fe'i hadnewyddwyd yn gymharol ddiweddar. Credir i'r tŷ sylweddol hwn gael ei godi yn y 1840au, gan arwain at y defnydd diweddarach o'r enwau cymharol *Cwmglo Bach* a *Hen-gwm-glo.* Mae tystiolaeth hefyd fod Cwm-glo yn cael ei alw yn *Cwm-glo Mawr* er mwyn gwahaniaethu rhyngddo a *Chwm-glo Bach.* Mewn adroddiad papur newydd nodir:

> *'The application of Mr John Edwards, Tyrbank, for a small holding on Cwmglo-mawr, now held as part of Lletyevanhen, Elerch, was granted and the terms of the Gogerddan Estate at the rate of 10s. per acre were accepted, subject to the applicant agreeing to take a lease and keep the fencing in repair'.* [Cambrian News, *15 September 1916*].

Cwmrhydgoch

SN 68216 86643

Byngalo a godwyd yn 1934 gan deulu Thomas, Blaen-waun, Llandre, ar dir Pantyffynnon. Credir mai o waith mwyn Mynydd Gorddu y daeth llechi'r to a'r briciau a ddefnyddiwyd i godi'r adeilad. Adnabuwyd y tŷ fel *The Bungalow*, hyd nes yr enwyd yn Cwmrhydgoch yn 1967 gan Cledwyn a Carwen Fychan. Mae'r perchnogion dilynol wedi parhau gyda'r enw a drafodir ymhellach o dan y pennawd **Pen-y-bont Coch**.

Cwmrhydgoch (1991).
(Llun: trwy ganiatâd Clifford & Mavis Williamson).

Dan-y-deri

SN 68545 86512

Datblygiad newydd yn 2008 ar dir Aldebaran, sy'n sefyll o dan goeden dderw. Enwyd gan y perchnogion cyntaf Ron a Carol Cardy.

Dôlgarn-wen

SN 70335 88085

Cofnodwyd yng Nghyfrifiad 1841 fel *Dolgarnwen*, ac ar fap degwm Llanbadarn Fawr (1846) fel *Gogarwen*. Nodir enw'r cae o flaen y tŷ, rhwng y ffordd galed a'r afon fel *Cae tangaerwen*. Mae Dôlgarn-wen yn enghraifft dda o fwthyn croglofft, ac fe'i rhestrwyd gan Cadw yn 1997. Lleolir mewn man unig yng Nghwm Tŷ-nant, ac mae'n dŷ gwyliau ers nifer o flynyddoedd.

Dôlgarn-wen (2008).

Dre-boeth *gweler:* **Tre-boeth**
Ebeneser (Ebenezer) *gweler:* **Bwthyn Rhosyn Gwyllt**
Elerch House *gweler:* **Hafod Elerch**

Elerch Vicarage

SN 68306 86400

Un o nifer o adeiladau yn y pentref a noddwyd gan y Parchg Lewis Gilbertson (1814–1896), yn cynnwys yr Ysgol (1856) a'r Eglwys (1868). Gwahoddwyd adeiladwyr i weld y cynlluniau ac i dendro am y gwaith adeiladu mewn hysbyseb a gyhoeddwyd yn *The Welshman*, 5 June 1874. Mae'r ficerdy yn dŷ sylweddol a gwblhawyd erbyn 1875 i gynllun y pensaer Cymreig John Pritchard (1817–1886), gŵr a wnaeth gymaint o waith ar Eglwys Gadeiriol Llandaf. Cafodd *Pont Pritchard*, a gynlluniwyd ganddo, sy'n arwain o'r Eglwys Gadeiriol i'r fynwent, ei enwi ar ei ôl. Yn dilyn ymadawiad y Parchg Leslie Evans yn Chwefror 1950, penderfynwyd uno plwyf Elerch gyda Phenrhyn-coch, a disgwyliwyd i'r ficer newydd fyw yno. Esgorodd hyn ar streic gan aelodau Eglwys Elerch a barodd am ddwy flynedd ac a gafodd gryn sylw yn y wasg Lundeinig. Ceir yr hanes yn llawn yn *Ein Canrif.* Ni lwyddodd y streic i newid penderfyniad yr Esgobaeth, ac ymhen amser gwerthwyd y ficerdy ar y farchnad agored. Rhestrwyd y tŷ gan Cadw yn 1997.

Elerch Vicarage (2006).

Erw-las

SN 68791 86613

Enw newydd a roddwyd yn 1985 ar dŷ fferm Bwlchrosser a godwyd yn y 1880au. Yn wreiddiol fe'i hail-enwyd yn Greenacres, ond newidiwyd hynny yn weddol fuan i Erw-las. Cofnodwyd y ffurfiau *Erw Glas* [sic] ac *Erwau Glas* yn ogystal. Cafwyd tystiolaeth ar lafar i rai cerrig i adeiladu'r tŷ ddod o adfeilion Pant-y-ffin sydd gerllaw. *Gweler hefyd:* **Bwlchrosser.**

Felin, Y *gweler:* **Tai'r Felin**
Filter House *gweler:* **Hen Waith Dŵr, Yr**

Ffosfudr

SN 72521 87203

Lleolir Ffosfudr ar dir uchel yn un o fannau mwyaf anghysbell plwyf Elerch, ar gyrion Nant-y-moch. Fe'i cofnodir ym mhapurau Gogerddan yn y ffurf *fosviedir* mor gynnar â 1572 [Gogerddan 334], fel lluest sylweddol ar fap ystad Gogerddan yn 1790 [Gogerddan 232], ac ar bob Cyfrifiad rhwng 1841 a

Ffosfudr (2006).

1911, ar fap degwm plwyf Llanbadarn Fawr (1846), ac ar fapiau 25" yr Arolwg Ordnans (1887) a 6" (1906). Ymddengys iddo gael defnydd achlysurol a thymhorol yn unig ar ôl diwedd y Rhyfel Byd Cyntaf, a hynny yn bennaf ar gyfer cneifio. Roedd yn dal i sefyll, ond mewn cyflwr peryglus, pan dynnais lun ohono yn 2006, ond fe'i dymchwelyd ar ddechrau 2014. Mae'r enw yn gyfuniad o *ffos* + *budr*, yn golygu mwdlyd yn y cyd-destun hwn. Mae'n ardal llawn ffosydd sy'n derbyn glaw trwm.

Ffynnonwared

SN 67496 86752

Un o ffermydd hanesyddol Bont-goch, sydd yn sefyll y tu hwnt i ffiniau plwyf Elerch, ond sy'n adfail amlwg iawn i'w weld ar y ffordd allan o'r pentref wrth deithio tuag at bentref Tal-y-bont. Cyfeirir at y fferm yn ewyllys Richard James Morgan, Tyn y rhos, Llanfihangel Genau'r-glyn, a brofwyd yn 1799 (SD/1799/131), ond mae'r safle yn dipyn hŷn na hynny. Fe'i nodir ar fap degwm Llanfihangel Genau'r-glyn (1845), ac fe'i cofnodir ar fapiau Arolwg Ordnans hyd at fapiau modern presennol. Nodir Ffynnonwared fel safle ffynnon sanctaidd yn llyfr safonol Francis Jones, *The holy wells of Wales*. Mae pentwr o gerrig ar ddiwedd clawdd o goed onnen tua 300 llath o'r tŷ i gyfeiriad y gogledd-orllewin yn nodi tarddiad y ffynnon. Mae'r fferm bellach yn adfail, ond bu'n gartref i deulu lluosog yn ystod y 19eg ganrif a hyd at yr 20fed ganrif. Bedyddiwyd naw o blant Ffynnonwared yn Eglwys Elerch rhwng 1868 a 1883. Credir mai'r olaf i fyw yno oedd Lewis Arthur Jones, a fu farw yng Nghapel Dewi yn 1959 ac a gladdwyd yn Eglwys Elerch.

Mae'r elfen *wared* yn yr enw yn ffurf dafodieithol o *(g)waered* sy'n gyffredin yng Ngheredigion am riw serth at i lawr, neu ddisgynfa. Mae'n dipyn o ddringfa i gyrraedd Ffynnonwared, a chadarnha'r enw fod y ffynnon i'w gweld ar y gwaered, o dan gesail Banc Mynydd Gorddu. (Adnabuwyd y darn tir yma ar lafar fel *Cae War Tŷ*). Mae'n ddiddorol nodi mai'r ffurf *Ffynnonwaered* sydd ar feddau cynharaf y teulu ym mynwent Elerch. Ond cynigwyd esboniadau eraill ar yr enw. Awgrymodd Dr David Jenkins mai talfyriad o'r enw personol Gwilym ap Gwrwared, un o hynafiaid Dafydd ap Gwilym, a geir yma, tra roedd R. J. Thomas yn ffafrio esboniad sy'n fwy credadwy, sef mai'r elfennau *ffynnon* + *(g)wared* sydd yn yr enw: hynny yw: ffynnon sy'n gwared neu'n iacháu salwch.

Olion Ffynnonwared (2015).

Ceir yr elfen *ffynnon* yn bresennol mewn enwau eraill yn yr ardal. Y mwyaf adnabyddus yw fferm Pantyffynnon, a drafodir ymhellach o dan y pennawd hwnnw. Ar dir Pennant ceir Ffynnon Padarn (Pistyll Padarn), a drafodir yn llawnach o dan y pennawd hwnnw.

Gerddigleision

SN 68286 86186

Mae Gerddigleision yn dyddio o 19eg ganrif, ac am gyfnod byr o 1988 newidiwyd yr enw i Gerddi Glandŵr, tra bu cryn waith ail adeiladu ac adfer ar y tŷ gwreiddiol a gymerodd bum mlynedd i'w gwblhau. Newidiwyd yr enw yn dilyn penderfyniad i greu llyn sylweddol yn yr ardd. Canfuwyd fod y clai ar waelod y twll a dorrwyd ar gyfer y llyn yn las, a dyna mae'n debyg yw'r eglurhad ar yr enw gwreiddiol. Bu'r sièd fawr sy'n dal yng ngardd y tŷ, ac a brynwyd ac a ddefnyddiwyd gan y perchnogion newydd fel stordy blodau, yn rhan o neuadd bentref ar un adeg ym Mhencader a chyn hynny yn adeilad yn RAF Pen-bre, sir Gaerfyrddin. Wrth i'r tŷ newid dwylo eto yng Ngorffennaf 2002, newidiwyd yr enw yn ôl i Gerddigleision. O dan ofalaeth teulu'r

William Williams y postmon y tu allan i Gerddigleision – ymddeolodd yn 1947.
(Llun: *Ein canrif*).

diweddar Rosalind E. Edwards (1935–2006), bu'r Gerddi, fel y'i hadwaenir ar lafar, yn swyddfa'r post i'r pentref am dros 50 mlynedd, hyd at 1987. Ar ôl iddo gau yn Gerddigleision, cynigwyd y gwasanaeth yn Trem-y-rhos.

Mae'r sièd fach sinc lle byddai William Williams, y postmon lleol, yn cael seibiant haeddiannol o'i daith 20 milltir er mwyn bwyta ei ginio, cyn dychwelyd i Dal-y-bont yn dal i'w gweld yng ngardd Pennant. (Adroddir yr hanesyn hwn gan J. R. Jones yn ei gyfrol *Atgof a*

Sièd William Williams – y lleoliad gwreiddiol (2002).
(Llun: Owain Hammonds).

cherdd). Arferai'r sièd fod ar ymyl y ffordd ger y ciosg coch, fel y dengys y llun.

Ger-y-nant

SN 68397 86394

Datblygiad newydd gan Peter a Karen Egan yn 2000–01, ar dir Penybanc. Karen Egan oedd yn gyfrifol am enwi'r tŷ a hynny ar ôl y nant fechan sy'n rhedeg yn y cae tu cefn iddo, gan ymlwybro heibio Glanrhyd a Llawr-y-glyn cyn rhedeg o dan y ffordd fawr i ymuno ag Afon Leri. Defnyddiwyd dŵr o'r nant hon gan Peter Egan wrth adeiladu'r tŷ cyn i'r cyflenwad swyddogol gael ei gysylltu.

Glanrafon

SN 68318 88403

Cofnodir fel *Glanrafon Cottage* yng Nghyfrifiad 1861, yn gartref i Isaac Jones (1829–1896), *blacksmith,* a'i deulu. Nid oes cofnod o'r enw yng

Dyfrliw o Glanrafon (1987). (Llun: trwy ganiatâd Evan a Carolyn Lynn).

Nghyfrifiad 1841 na 1851, ac nid oes awgrym o dŷ ar y cae hwn ym map degwm Llanbadarn Fawr (1846). Fodd bynnag, cofnodir y ffurf *Tŷ Shôn y Go'*, *Pont-brengeifr* ar dŷ yn yr ardal hon mewn adroddiad ar ddatblygiad crefydd ar ddechrau'r 19fed ganrif, a gyhoeddwyd yn *Seren Cymru*, 22 Rhagfyr 1876. Mae'r tŷ hwn, a adwaenir hefyd yng Nghyfrifiad 1841 a 1851 fel Pontygeifr, yn sefyll ar ochr arall y ffordd rhwng yr afon â Fronallt – mae darn ohono yn dal i sefyll ac fe'i defnyddir bellach fel sièd [SN 68263 88462]. Yno roedd John Jones, gof, a'i deulu, yn cynnwys ei fab Isaac, yn byw. Roedd Isaac Jones yn un o ddiaconiaid cynnar y Bedyddwyr yn yr ardal, ac yn 1846 codwyd ysgoldy gan y Bedyddwyr yn ardal Pontbren-geifr, a'i alw'n Sion. O sefyll ar Bont-brengeifr heddiw ac edrych i gyfeiriad gardd Glanrafon mae modd gweld o hyd y grisiau cerrig ar lan yr afon a ddefnyddiwyd i fedyddio oedolion. Ymddengys felly fod efail wreiddiol y gof ar ochr arall yr afon, ac iddi symud i Glanrafon rhwng 1851 a 1861. Ar ôl dyddiau Isaac cynhaliwyd yr efail gan ei fab Thomas, hyd at o leiaf 1901, ond erbyn 1911 roedd teulu arall yn byw yno – John Wilson Tait, Albanwr, peiriannydd yn y gweithfeydd mwyn, a'i briod Rosa Matilda. Ond wrth gloi ei englyn i Gwm Tŷ-nant, gyda'r llinnell 'Él o'r Efail i'r Hafan' a gyhoeddwyd y flwyddyn honno, mae'r bardd gwlad 'Grugog' [David Mason, 1859–1914] yn dal i gyfeirio at weithdy'r gof.

Glanrafon, gydag adeilad efail y gof ar y dde (tua 1940). Cadarhawyd mai Gertrude H. Ingham (1874–1949), Tan-y-cae, yw'r ddynes yn y llun.

Yn y llun uchod, y medrwn ei ddyddio ar ôl 1928 ar sail rhif cofrestru'r car, gwelir Glanrafon gydag adeilad y gof ar ochr dde y llun. Bellach defnyddir y darn hwn o'r tŷ fel lolfa, ond mae'r lle tân gwreiddiol a ddefnyddiwyd gan y gofaint i'w weld heb ei newid o hyd. Mae'r enw Glanrafon yn deillio o'r ffaith fod y tŷ yn ymyl uniad afonydd Cyneiniog a Leri. Mae **Tan-y-cae**, a drafodir isod, drws nesaf, ac fe adnabuwyd hwnnw hefyd fel Glanrafon ar un adeg.

Glanrhyd

SN 68409 86371

Datblygiad newydd gan Maldwyn a Margaret Jones a gwblhawyd yn 1995 ar dir Penybanc. Enwyd y tŷ gan Margaret a ddewisodd yr enw am yr un rheswm a nodwyd yn achos Ger-y-nant, sef presenoldeb rhyd yn ymyl y tŷ.

Glyntuen *gweler:* **Llawr-y-glyn**
Greenacres *gweler:* **Erw-las**

Gwelfryn

SN 68519 86518

Cofnodwyd yr enw ar Gofrestr Etholwyr 1945, ac mae'n bosibl mai'r tenantiaid a fu yno oedd yn gyfrifol am fathu'r enw. Cyn hynny, adnabuwyd

Gwelfryn (chwith) a Tanllidiart (2017). (Llun: Giles W. Bennett).

y tŷ fel un o ddau fwthyn yn dwyn yr enw Tanllidiart. Mae Gwelfryn yn eiddo i'r un teulu ers Mai 1959, yn fwthyn gwyliau, neu'n dŷ a osodwyd am dymhorau byr i denantiaid gwahanol. *Gweler hefyd*: **Tanllidiart**

Hafod Elerch

SN 68442 86503

Adwaenir y tŷ ers 1992 wrth yr enw Cymraeg newydd, Hafod Elerch, ond cyfeirir ato o hyd gan y brodorion wrth ei enw gwreiddiol, Elerch House. Codwyd ar ddechrau'r 1880au fel tŷ i brifathro Ysgol Elerch, a bu'n eiddo i'r Eglwys yng Nghymru hyd at ddiwedd y 1960au. Credir mai'r teulu cyntaf i fyw yno oedd yr ysgolfeistr Henry William Clissold a'i briod Mary Anne. Cychwynnodd Clissold ar ei waith yn Elerch ar 15 Medi 1884, a bedyddiwyd tri o'i blant yn Eglwys Elerch rhwng 1885 a 1889. Gweithredodd Elerch House fel swyddfa'r post ar un adeg, ac yn ôl Cyfrifiad 1911, cyfeirir at waith merch hynaf y tŷ, Mary Ann Edwards, fel 'looking after sub-post office'. Bu'r swyddfa bost yno tan 1936 cyn symud i Gerddigleision yn 1937. Collodd William Edwin Morris a'i briod Elizabeth, a fu'n byw yn Elerch House tan 1920, ddau fab yn nhanchwa fawr pwll glo Senghennydd yn 1913, a bu farw mab arall iddynt, Arthur Morris, yn y Rhyfel Mawr yn 1918. Adroddwyd yr hanes mewn cyfrol a olygwyd gan Myrddin ap Dafydd ac a gyhoeddwyd i gyd-fynd â chanmlwyddiant y danchwa.

Cymdogion: Margaret Louisa Evans (1911–2000), Pantgwyn (chwith), a Susannah Edwards (1901–1991), tu allan i Elerch House, (1940).

Hen gwm-glo *gweler:* **Cwm-glo**

Hen Waith Dŵr, Yr

SN 68386 86227

Yn 1939 adeiladwyd gwaith puro dŵr ym Mont-goch, yn dilyn creu cronfa Craig y Pistyll [SN 72123 85809]. Fe'i bedyddiwyd yn Filter House, a defnyddiwyd y ffurf yna ar ddogfennau swyddogol yn ogystal. Er enghraifft, ym 1947, pan briododd un o ferched y pentref disgrifiwyd swydd ei thad yng nghofrestr yr Eglwys fel 'Filter House Attendant'. Crewyd Llyn Craig y Pistyll yn wreiddiol yn 1880 i gyflenwi dŵr i weithiau mwyn Court Grange a Mynydd Gorddu. Roedd digon o ddŵr ynddo i ddiwallu anghenion gofynion ardal Cyngor Gwledig Aberystwyth, ond erbyn 1962 gwelwyd bod angen gwella'r ddarpariaeth ac adeiladwyd gwaith puro dŵr newydd ym Mont-goch drwy ychwanegu 14 o ridyllwyr at y 9 oedd yn yr hen waith. (Ehangwyd y gwaith ymhellach yn 2015 gyda buddsoddiad anferth o £9 miliwn). Erbyn hyn mae'r gwaith yn sicrhau ansawdd y cyflenwad dŵr i ardal eang iawn o ogledd Ceredigion. Erbyn 1968, trosglwyddwyd yr holl waith i'r safle newydd, gan adael adeilad gwag yn y pentref. Erbyn diwedd 2008, gyda chryn waith addasu, fe ddaeth y burfa wreiddiol yn gartref trawiadol i deulu ifanc, ac adwaenir yr adeilad bellach fel Yr Hen Waith Dŵr.

Adeilad gwreiddiol y gwaith dŵr (tua 1940). (Llun: trwy ganiatâd Siân Wyn Davies).

Hen Ysgol yr Eglwys

SN 68387 86490

Mae Hen Ysgol yr Eglwys yn un o'r adeiladau pwysicaf yn y pentref. Yn dyddio'n wreiddiol o 1856, mae'n enghraifft o waith y pensaer nodedig George Edmund Street (1824–1881), cynllunydd y Royal Courts of Justice yn Llundain. Noddwyd yr adeilad gan y Parchg Lewis Gilbertson (1814–1896), a fu'n gyfrifol fel a nodwyd eisoes, am godi adeiladau eraill yn y pentref. Mae cefndir diddorol i gloch yr ysgol, sydd yn weladwy yng nghlochdwr yr adeilad. Fel yn achos clychau'r Eglwys, mae'n enghraifft nodedig o waith ffowndri J. Warner & Sons, yr un cwmni a fu'n gyfrifol am gynhyrchu cloch *Big Ben*, sydd hefyd yn dyddio o'r un cyfnod.

Cloch yr Ysgol, cyn ei adfer (2010).

(Llun: Jennifer Drage).

Gweithredodd yr adeilad hwn fel ysgol hyd at ei chau yn Haf 1958, ac ar ôl hynny fe'i defnyddiwyd fel neuadd gymdeithasol ar gyfer digwyddiadau a

Adnewyddu'r Hen Ysgol (2011).

gynhaliwyd dan nawdd Eglwys St. Pedr sy'n sefyll gyferbyn. (Mewn un llun a dynnwyd ar ddechrau'r 20fed ganrif gwelir fod 53 o blant yn mynychu'r ysgol, ond roedd y niferoedd wedi gostwng i 7 erbyn 1958). Yma y cynhaliwyd *sosials* a gyrfaoedd chwist enwog Bont-goch, a gweithredodd yr ysgoldy hefyd fel cartref i Aelwyd yr Urdd Glannau Leri ar ddiwedd y 1960au. Dirywiodd yr adeilad yn ystod y degawdau canlynol, a phenderfynodd aelodau Cyngor Eglwysig Elerch ei werthu ym mis Medi 2010. Adferwyd yr adeilad yn llwyddiannus iawn gan y perchnogion newydd, a daeth yn gartref teuluol o dan yr enw newydd Hen Ysgol yr Eglwys ym Mehefin 2012.

Hengoed

SN 68366 86480

Datblygiad newydd a godwyd ac a enwyd gan James a Jeanette Lawton ar ddiwedd y 1970au. Enw traddodiadol y safle oedd *Cae Bach y Shop*, gan mai yno ar un adeg y lleolwyd un o siopau y pentref.

Ymddengys fod yr enw Hengoed yn deillio o'r ffaith fod boncyffion rhai coed ar y safle. Yno hefyd y byddai rhai o blant y pentref yn chwarae coets a James Pierce Evans (1876–1960), Shop Bont-goch, yn cadw ei ieir.

Rhoddwyd caniatâd cynllunio ym Mehefin 2017 i adeiladu tŷ newydd o fewn terfynau presennol Hengoed [SN 68426 86429]. *Gweler hefyd:* **Shop Bont-goch**

Hirsitalo

SN 68494 86528

Datblygiad newydd yn 2006 gan Matthew a Nadine Young ar dir Cae Bychan. Daw'r enw o'r iaith Ffinneg am dŷ coed [*hirsti* am foncyff (*log*) a *talo* am dŷ], ac yn y wlad honno y cynhyrchwyd y tŷ. Mewnforiwyd ef o gwmni Ollikaisen Hirsirakenne Oy, sydd â'u pencadlys yn Ruovesi, y Ffindir. Mae'r cynllun yn un o'i fodelau sylfaenol sy'n dwyn yr

Hirsitalo (2008).

(Llun: http://www.loghouseuk.com/).

enw Paivanpaiste, sy'n cyfieithu fel golau'r haul. Addaswyd y cynllun hwnnw i gynnwys pedwerydd ystafell wely a chegin agored. Mae Matthew yn arbenigwr ym maes cabanau coed, ac yn gyfarwyddwr Log Cabin UK. *Gweler hefyd:* **Cae Bychan**

Lerry Cottage *gweler:* **Tai'r Felin**
Lerry View *gweler:* **Penrhiw**

Llannerchclwydau

SN 68990 85701

Un o aneddau hynaf y plwyf, a adwaenir ar lafar fel *Llannerch.* Fe'i cofnodir yn y ffurf *Cannerch y Clwydau* ar fap Lewis Morris yn 1744 [Gogerddan 211], ac yn ei ymyl roedd gwaith mwyn a fu'n weithredol yn yr 17eg ganrif [SN 69517 85810]. Cofnodir *Llanerch* yn gyson ar bob Cyfrifiad rhwng 1841 a 1911, ac roedd tiroedd y fferm yn ymestyn i dros 200 erw. Oherwydd yr elfen *llan* yn yr enw ceir traddoddiad ar lafar fod y safle yn un eglwysig, ac mai hwn oedd y *llan* + *elerch* gwreiddiol. Mae defnydd o'r elfen *clwyd* hefyd yn ddiddorol gan mai *llidiart* a geir mewn enw lleol arall, sef *Tanllidiart*. Dangosir nifer o adeiladau *Llannerchclwydau* ar fap degwm Llanbadarn Fawr (1846), gan nodi y tŷ presennol. Mae rhai

Llannerchclwydau (2015).

o'r adeiladau hyn bellach wedi eu dymchwel, gan gynnwys yr un y tybir ei fod yn eglwys gynnar, a chasglwyd tystiolaeth lafar gan Cledwyn Fychan ar ddiwedd y 1960au oddi wrth ddau o drigolion y pentref, [Gwladys Evans (1909–1994) a William M. Edwards (1893–1968)], yn honni fod olion y pulpud yn dal i'w gweld ar y muriau. Ategwyd hyn gan Tamlin Watson a fu'n byw yn y tŷ yn ddiweddar, a hynny ar sail tystiolaeth lafar a glywodd gan y diweddar Gareth T. Evans (1927–2015). Gellir gweld o'r llun a dynnwyd yn ddiweddar fod y tŷ hir isel gwreiddiol (ar y dde) yn dal i sefyll, ac yn cael defnydd amaethyddol.

Cafwyd tystiolaeth lafar fod un o'r caeau sy'n ffinio gyda'r ffermdy yn cael ei adnabod fel *Cae Tynewydd.* Ymddengys mai cyfeiriad at y tŷ presennol sydd yma.

Llawrcwmbach

SN 70619 85484

Saif Llawrcwmbach tua dwy filltir o ganol pentref Bont-goch ym mhen uchaf Cwm Eleri ac wrth waelod Craig y Pistyll. Cyfeirir ato fel 'cottage' o'r enw *Llyast llawr cwmneiddy* mewn dogfen ddyddiedig 1730 [Crosswood I.137], fel *Llawreiddi* ar fap Lewis Morris 1744 [Gogerddan 211], fel 'tenement' *Llyast-llawr-y-cwm* yn 1768 [Crosswood, I.1002] a thyddyn *Llawr y cwm* 13 erw ar fap Thomas Lewis yn 1768 [NLW Maps Vol. 38]. Mewn ysgrif gan Tom Macdonald, a gyhoeddwyd yn y *Western Mail* 3 July 1971, cyfeirir ato yn anghywir fel *Gwarcwmbach.* Yn ymyl y ffermdy ceir olion sylweddol gwaith mwyn Llawrcwmbach [SN 70702 85389], a fu'n weithredol yn y 19eg ganrif.

Mae Llawrcwmbach bellach yn wag, ac mae dyfodol yr adeilad yn ansicr, oherwydd fod ei leoliad mor anghysbell. (Wrth baratoi'r llyfr i'r wasg rhoddwyd y tŷ a 182 o erwau o dir ar werth ym Mehefin 2017). Y gŵr olaf i fyw yno oedd y diweddar Geraint James Evans (1930–2011). Addysgwyd Geraint yn Ysgol Elerch, a bu'n ofynnol iddo gerdded yno yn ddyddiol o'i gartref yng nghwmni ei frodyr a'i chwaer. Gadawodd yr ysgol yn 14 oed, i gynorthwyo ei dad i ffermio, ac arhosodd yn Llawcwmbach hyd at Hydref 2006, pan orfododd salwch iddo symud i fyw at ei frawd Gareth yn y pentref. Bu Geraint farw yn 2011 a gwasgarwyd ei lwch yn Llawrcwmbach, ar ddarn o dir glas rhwng y tŷ a'r tai allan lle byddai ef, ei ddau frawd, a'i chwaer, yn chwarae'n blant.

Llawrcwmbach (1971).

Llawrcwmbach (2015).

Llawrcwmbach – olion tai'r mwynwyr (2015).

Ond o edrych yn fanylach ar gofnodion Llawrcwmbach yn y Cyfrifiad fe welir fod mwy nag un tŷ yn dwyn yr enw. Ymddengys fod tŷ newydd wedi ei godi ar ôl 1859 a'i ddefnyddio fel tŷ fferm i reoli'r 160 erw o dir oedd yn gysylltiedig â'r fferm – hwnnw fyddai'r tŷ a oedd yn gartref i Geraint Evans. Mae'r tŷ hir gwreiddiol yn sefyll o dan y tŷ newydd, ond yn ogystal nodir tŷ o'r enw *Llawrcwmhen* erbyn 1871, yn fwthyn ar gyfer cartrefu mwynwr oedd yn gweithio yn y gwaith cyfagos, ac yn cyfuno hyn gyda gofalu am 12 erw o dir. Nodir *Llawrycwm-hen* hefyd ar fap Arolwg Ordnans 6" (1906). Mae'n bosibl mai hwn yw'r tŷ a gyfeiriwyd ato fel *Llawrcwmcanol*, gan Margaretta Elizabeth Ann Evans (1905–1996) mewn sgwrs gyda Cledwyn Fychan yn 1968. Soniodd fod hen wreigan o'r enw Mari yn byw yno ar un adeg, a gelwir un o gaeau Llawrcwmbach yn *Cae Mari* hyd at heddiw. Mae Cyfrifiad 1881 yn nodi enw Mary Morgan, gwraig weddw 50 oed mewn un o ddau dŷ a restrir fel Llawrcwmbach. Nodir hefyd fod yna dŷ o'r enw Llawrcwmbach Mine Office yn cael ei ddefnyddio i gartrefu mwynwyr a'u teuluoedd rhwng 1861 a 1881. Fel y nodwyd eisoes mae olion sylweddol yn aros o'r gweithfeydd mwyn, yn cynnwys y *mine office* a rhai tai a ddefnyddiwyd i gartrefu y mwynwyr a'u teuluoedd. Nodir hefyd fod olion Blaenddôl, a drafodwyd uchod, gerllaw.

Llawrcwmmawr

SN 71222 85373

Llawrcwmmawr (2015).

Lleolir Llawcwmmawr ar ochr ddeheuol Afon Leri o dan Graig y Pistyll ac yn agos at Lawrcwmbach. Mae'r tŷ presennol yn dyddio o ail hanner y 19fed ganrif, a cheir ychydig o olion y tŷ gwreiddiol nid nepell o'i ymyl. [SN 71373 85285]. Nodir y tŷ ar fap degwm Llanfihangel Genau'r-glyn (1845) fel

Olion tŷ gwreiddiol Llawrcwmmmawr (2015).

Llawrcwm, ac ar fap Arolwg Ordnans 25" (1887) fel *Llawr-y-cwm-mawr*. Canodd J. Ll. Nuttall ('Llwyd Fryniog') gerdd goffa i'w nai Joseph Hughes (Joss), mab Edward ac Ann Hughes, Llawrcwmmawr, a fu farw yn 27 oed yn 1906, yn ei gyfrol *Telyn Trefeurig*. Ar 11 Awst 1955 pwrcaswyd tir Llawrcwmmawr gan y Comisiwn Coedwigaeth, ynghyd â thiroedd eraill yn ffinio, oddi wrth y perchennog Syr P. L. Saunders Pryse Bart. Gwerthwyd Llawrcwmmawr gan y Comisiwn i berchennog newydd ar 23 Tachwedd 1970. Bu'n dŷ haf ers hynny.

Llawr-y-glyn

SN 68369 86312

Arferai tŷ presennol Llawr-y-glyn, a oedd ar un adeg yn ddau dŷ gyda chyswllt rhyngddynt, gael ei adnabod fel Glyntuen. Fe'i hailenwyd yn Llawr-y-glyn gan y ddwy chwaer Jane Evans (1885–1965) a Margaret Mary Evans (1893–1983) a symudodd yno i fyw yn 1950. Credir i'r enw gael ei ddewis i adlewyrchu lleoliad y tŷ ar lawr dyffryn Cwm Eleri. Mae'r tŷ yn ymddangos ar fap 6" yr Arolwg Ordnans (1886), ond nid ar fap degwm Llanbadarn Fawr (1846).

Cyn i'r chwiorydd Evans fyw yno, roedd yn gartref i John Ernest Griffiths (1894-1950) a'i briod Charlotte Mary (née Edwards), (1897–1992), un o ferched

Llawr-y-glyn (2006). (Llun: Roger Morel du Boil).

lleol y pentref. Priododd y ddau yn 1919, ac ymsefydlu ymhen amser ym Mont-goch, gan enwi'r tŷ yn Glyntuen. Enwyd y tŷ ar ôl nant Tuen, enw sy'n gysylltiedig ag ardal Ystumtuen, ac yno yn Lluest Goch ar Droedyrhenrhiw y ganwyd John Griffiths. Mae'r enw Glyntuen yn ymddangos ar Gofrestr Etholwyr 1929. Yn dilyn ei ymddeoliad yn 1950, ac ychydig cyn ei farw, symudodd ef a'i briod i Dal-y-bont, gan fynd â'r enw Glyntuen gyda nhw i'w roi ar eu cartref newydd. Mae'r tŷ hwnnw yn dal i gael ei adnabod fel Glyntuen, ac mae'r enw i'w weld ar y tu allan ar bot blodyn.

Fe'i lleolir mewn rhes o dai teras ar y stryd fawr, gyferbyn â hen siop yr Emporium. Claddwyd John a Charlotte yn Eglwys Elerch, ac mae'r cyfeiriad 'Glyntuen, Talybont' yn ymddangos ar eu carreg bedd.

Llechwedd-du

SN 69112 85423

Mae olion Llechwedd-du i'w gweld ar waelod Banc Llety Ifan Hen, ar ochr ddeheuol Afon Leri. Cofnodir y tŷ fel 'cottage & field' ar fap degwm Llanfihangel Genau'r-glyn (1845), ac ar fap 25" Arolwg Ordnans (1887) a 6" (1906). Ceir nifer o feddargraffiadau i deulu Mason oedd yn byw yno ar droad yr 20fed ganrif ym mynwent Eglwys yr Annibynwyr, Salem Coedgruffydd, gan gynnwys William Mason, un o feibion Llechwedd-du, a fu farw ar 6 Rhagfyr 1900 ac a gladdwyd yn Awstralia.

Olion Llechwedd-du (2017).

I'r gogledd-orllewin o Lechwedd-du, ar ochr arall yr afon ym mhlwyf Elerch, ceir olion Tŷ-hen. Ar un adeg roedd pont yn croesi rhwng y ddau dyddyn. Nododd ffermwr lleol, Alan James, wrthyf mai *Pont Dafydd* oedd ei henw ar lafar, a chlywais hefyd y ffurf *Pompren Dafydd.* Byddai rhamantydd yn meddwl mai dyna oedd y bont a ddefnyddiwyd gan Ddafydd ap Gwilym (*fl.* 1320-1380) ar ei grwydriadau, ond mae'n llawer mwy tebygol fod y bont wedi ei henwi ar ôl David Williams, labrwr dall 72 oed, oedd yn byw yn Llechwedd-du yn 1851. Mae olion Llechwedd-du i'w gweld yn glir mewn clwmpyn o goed ar Fanc Llechwedd-du. Cofnodir y ffurf Banc Llechwedd-ddu ar fap Arolwg Ordnans Pathfinder 927 (1987). Gwyneba'r tŷ y gogledd, ac mae'r diffyg haul, efallai, yn egluro'r defnydd o'r ansoddair *du* ar ei gyfer. Ystyriwyd y lleoliad yn un llaith ac afiach i fyw ynddo.

Llechweddhelyg *gweler:* **Parcbach**

Llety Ifan Hen

SN 68564 85266

Un o ffermydd mwyaf a gwirioneddol hanesyddol Bont-goch, sy'n gorwedd y tu allan i ffiniau plwyf Elerch, ac sydd o dan ofal yr un teulu ers diwedd y Rhyfel Mawr. Ar un o gaeau'r fferm ceir olion trawiadol *Pen y Castell*, caer o Oes yr Haearn [SN 68946 84805].

Mae tŷ presennol Llety Ifan Hen yn dyddio o ganol y 18fed ganrif, ac fe'i adnabuwyd adeg hynny fel *Penybryn.* Ceir llun trawiadol iawn ohono yng nghyfrol ddiweddar Iestyn Hughes, *Ceredigion: wrth fy nhraed.* Ymddengys fod *Penybryn* wedi cael ei fabwysiadu fel tŷ fferm Llety Ifan Hen yn fuan ar ôl 1841, tra defnyddiwyd yr hen dŷ fel bwthyn mwynwr hyd at o leiaf 1881. Nid nepell o'r tŷ gwreiddiol lleolir olion ac adfeilion gwaith plwm a zinc *Vaughan* [SN 69411 84905] a fu'n weithredol ar adegau gwahanol rhwng 1840 a 1911.

Mae olion y tŷ gwreiddiol i'w gweld ar leoliad cysgodol ychydig llai na hanner milltir o dan y tŷ presennol yng nghwm Afon Stewi [SN 68511 84852]. Mae rhan o fur cefn gogleddol y tŷ yn dal i sefyll ac i'w weld yn glir, ond mae tyfiant coeden onnen wedi difetha gweddill y mur. Ymddengys hefyd fod olion adeilad arall, sgubor o bosibl, y tu cefn iddo. O flaen y tŷ mae gardd sylweddol a ddefnyddir o hyd gan y perchnogion presennol i dyfu

Olion tŷ gwreiddiol Llety Ifan Hen (2015).

llysiau. Mae tystiolaeth gadarn fod y safle yma yn deillio o'r 17ed ganrif, ac, o bosib, cyn hynny yn ôl pob golwg. Cofnodir achos cyfreithiol yng Ngwrt y Siecr (Exchequer Proceedings) yn y flwyddyn 1603 gan gyn-denantiaid Abaty Ystrad Fflur, yn erbyn tirfeddiannwr newydd, yn ymwneud â 'summer house and an ancient tenancy' o'r enw *Tyddyn Llety Jevan Hen*, oedd yn rhan o faenor *Y Dywarchen* alias *Tirymynach.* Mae'n bur debyg felly fod y safle hon yn dipyn hŷn na 1603, a cheir cadarnhad pellach o hynny ym mhresenoldeb codiadau yn y tir i'r gorllewin i'r olion, sy'n dynodi setliad cynharach. Mae'n bosibl fod yr annedd hon yn darparu arhosfan i bererinion ar eu ffordd i'r abaty. Byddai hynny hefyd yn egluro defnydd y gair *llety* yn y cyd-destun hwn.

Cofnodir y fferm mewn ffurfiau amrywiol ar fap Lewis Morris 1744 [Gogerddan 211], ac ar fapiau ystad Trawsgoed yn 1778 [Crosswood 345] a 1790 [Gogerddan 232]. Mae'n ymddangos ar fap degwm plwyf Llanfihangel Genau'r-glyn (1845) ac mae lleoliad y sgubor hefyd wedi ei nodi yn glir. Mewn cofnod claddedigaethau yn Eglwys Elerch yn 1878 ceir y ffurf *Llety Ifan Hen Isaf*, ac ar fap Arolwg Ordnans 25" (1887) ceir y ffurf *Hen-llety-Evan-*

Llety Ifan Hen (2013). (Llun: Iestyn Hughes).

hên. Cofnodir y ffurf *Lletynhen* yng nghofrestr claddedigaethau Llanfihangel Genau'r-glyn yn 1853, sef y ffurf a ddefnyddir o hyd ar lafar.

Yn ei hunangofiant mae'r Arglwydd Elystan Morgan yn cyfeirio at ei gysylltiad teuluol â Llety Ifan Hen. Noda fod ei deulu wedi ymsefydlu yno yn yn 16eg ganrif, a'i fod yn ddisgynnydd uniongyrchol i Ifan Hen. Mae'n adrodd stori ddifyr a rhamantus am ŵyr Ifan Hen, sef Siencyn ap Morgan ap Ifan Hen. Ef oedd ail blentyn ei rieni, ac yn hytrach na ffermio, aeth i'r môr a dod yn gapten llong. Drylliwyd ei long ar arfordir Sbaen a gorfodwyd iddo gael lloches gyda theulu lleol yn La Coruña. Syrthiodd mewn cariad â'u merch brydferth, Rosina, gan ddod â hi yn ôl i Gymru ymhen amser i'w phriodi.

Cyfeiria T. I. Ellis at y fferm yn ei gyfrol *Crwydro Ceredigion*, ac yn fwy penodol at y ffordd las sy'n rhedeg ar hyd Banc Llety Ifan Hen. 'Cynghoraf i neb fentro mewn car na hyd yn oed ar gefn beisicl ar y ffordd hon ...', medd yr awdur yn awdurdodol; byddai'n synnu, rwy'n siŵr, i glywed mai hwn yw un o lwybrau beicio mynydd mwyaf poblogaidd Cymru erbyn hyn!

Llety'r Felin *gweler:* **Tai'r Felin**

Llety'r March Melyn

SN 67243 85870

Mae olion Llety'r March Melyn i'w gweld yn ymyl y llyn islaw fferm Mynydd Gorddu. Crewyd y llyn i gyflenwi'r gwaith mwyn, gwaith a welodd y prysurdeb uchaf rhwng 1871 a 1884. Mae'n bosib fod y *llety* hwn ar un adeg yn gartref i ŵr oedd yn berchen ar farch ac a fyddai'n darparu gwasanaeth march i'r ardal, neu efallai fod yr enw yn cyfeirio at greadur mytholegol fel a geir yn *Cors yr Ychen Bannog* yn ardal Tregaron a *Ffynnon y March Melyn* ym mhlwyf Llanychaearn, ar gyrion Aberystwyth. Cyfeirir at *Lletty March melin* ar fap Thomas Lewis 1778 [Crosswood 345] ac ar fap degwm Llanfihangel Genau'r-glyn (1845), lle nodir y tŷ fel 'Cottage and land' yn ymyl *Cae'r Llety'r March* (lle mae'r llyn erbyn hyn); nodir y cae drws nesaf, sydd ar dir Troedrhiwseiri, fel *Bank nessa llety'r march*. Roedd teulu yn byw yn y tŷ yn 1841, ond erbyn 1851 does dim cofnod ohono yn y Cyfrifiad, ac roedd y teulu oedd yno wedi symud i dyddyn arall gerllaw. Mae'n debygol eu bod wedi symud oherwydd gwaith cysylltiedig gyda chreu'r llyn. Uniaethodd Dr David Jenkins Llety'r March gyda *Ceilliau'r Meirch* yng ngherdd Dafydd ap Gwilym (*fl.* 1320–1380) 'Taith i Garu', ond barnwyd gan yr Athro R. Geraint Gruffydd mai'r ffermdy a adwaenid yn ystod y 16eg ganrif fel *Tyddyn Ceilliau'r Meirch* a leolwyd o fewn milltir i *Frogynin* sydd dan sylw yma.

Safle Llety'r March Melyn (2015).

Lletywenlli

SN 69778 87267

Rhyd Lletywenlli gydag olion posibl clawdd y tŷ (2016).

Cyfeiria Cledwyn Fychan yn ei gyfrol *Nabod Cymru* at *Rhyd Lletywenlli*, a leolir rhwng Moelgolomen a Bwlch-glas lle mae'r ffordd las yn croesi Nant Perfedd, nodir *Tythyn Lletywenlli* mor gynnar â 1714 mewn llyfr rhent ystad Gogerddan. Yn ymyl y rhyd ceir olion gweithfeydd mwyn aflwyddiannus Tynewydd (Moelgolomen) a fu'n weithredol ganol y 19eg ganrif. Nid yw Lletywenlli yn ymddangos ar yr un Cyfrifiad na'r map degwm, ond ceir cyfeiriad ato fel un o bedwar tyddyn oedd yn eiddo i Thomas Hugh, Camddwr Mawr, mewn ewyllys a brofwyd yn 1745 [SD/1745/157]. Nid oes adfeilion amlwg o'r tŷ i'w gweld, ond ceir olion clir clawdd i'r gorllewin o'r nant a allai fod yn amddiffyniad i'r tŷ rhag llifogydd.

Lluest Ganol

Mae'r elfen *lluest* yn cyfeirio at fwthyn, neu safle bwthyn, a fyddai'n hwyluso pori a gwaith y fam fferm ar dir mynydd. Amcangyfrifodd Cledwyn Fychan yn ei astudiaeth arloesol a gyhoeddwyd yn 1966 fod dros 50 o luestau yn bodoli yn ardal Blaenrheidol ar ffin siroedd Maldwyn a Cheredigion. Mae'r ffurf *lluest* yn fwy cyffredin yng nghanolbarth Cymru, ond yn y gogledd tueddir i ddefnyddio'r ffurf *hafoty* i ddynodi annedd a leolir ar yr *hafod,* y tir pori a ddefnyddir yn yr haf. Mae tystiolaeth yn dangos fod nifer fechan o luestau wedi dod yn gartrefi parhaol am gyfnodau.

Cyfeirir at *Llyast ganol*, yn nhreflan Elerch, mewn dogfen ddyddiedig 1758 [Maesnewydd 124]. Yn ei ysgrif ar luestau Blaenrheidol, y mae'r awdur yn nodi *Lluestganol* fel un o nifer o luestau na ellir eu lleoli gydag unrhyw sicrwydd.

Lluest Gwar y Graig

SN 72123 8580921

Cofnodir Lluest Gwar y Graig ar fap Lewis Morris 1744 [Gogerddan 211], yn ogystal â map degwm Llanbadarn Fawr (1846). Deellir iddo gael ei orchuddio gan gronfa Craig y Pistyll pan adeiladwyd hwnnw yn 1880.

Lluest Llechwedd Llyfn

SN 71666 86148

Cyfeirir at y lluest hon, oedd mewn adfeilion yn gynnar yn y 18fed ganrif, mewn setliad priodas o ddogfennau Gwynfryn, dyddiedig 1719 wrth nodi '*a dairy house, cottage, or the site of same called Llyest Llechwedd Llyffyn, all in the township or hamlet of Elarch in p. Llanbadarn Vawr, co. Card*.' Cyfeirir ato hefyd yn 1780 [Glansevern 11501], a 1851 [British Records Association 1235/26]. Fe'i lleolir yng nghyffiniau Craig y Pistyll, gan y nodir *Waun Llechwedd Llyfn* i'r gogledd o'r llyn ar fapiau Arolwg Ordnans 25" (1887), 6" (1906) a Pathfinder 927 (1987).

Lluest Nant-y-Brawd

SN 75700 89800

Cofnodir 'a dairy house called *llyest Nant y Brawde* in the parish of Elirch p. Llanbadarn vawr' yn y flwyddyn 1611 [Gogerddan 318a]. Mae Nant-y-Brawd yn llifo i Afon Llechwedd-mawr ychydig i'r de o *Luest-gota.*

Lluest Newydd

SN 69782 84663

Nodir yr enw yn gyson yn y Cyfrifiad o 1841 ymlaen, a chofnodir 11 o drigolion yn byw yno yn 1881. Fe'i nodir hefyd ar fap degwm Llanfihangel Genau'r-glyn (1845) fel 'Cottage & garden' ar dir Llety Ifan Hen. Fe'i cofnodwyd ar fap Arolwg Ordnans 25" (1987) ac ar fap 6" (1906). Mae olion clir i'w gweld ar y safle sy'n awgrymu tŷ o faint eithaf sylweddol.

Olion Lluest Newydd (2017).

Lluest-gota

SN 75260 90530

Fel a nodwyd uchod, mae tystiolaeth yn dangos fod nifer fechan o luestau wedi dod yn gartrefi parhaol am gyfnodau, ac ymddengys fod Lluest-gota yn sicr yn syrthio i'r categori hwnnw. Cofnodir teuluoedd yn byw yno yn 1841, ac eto yn 1861, 1871 a 1881. Cofnodir yr enw ar restr eiddo rhydd-ddeiliaid 1760 yn y ffurf *Llyest gotta*, gyda'r perchennog, Jenkin Griffith, yn byw yn Kevencoch. Cofnodir yr enw hefyd ar fap degwm Llanbadarn Fawr (1846), ac yng Nghyfrifiad 1891 a 1901, er fod y tŷ yn wag. Nid oes olion i'w gweld bellach gan i'r tŷ gael ei dynnu lawr a defnyddiwyd y cerrig i adeiladu tŷ newydd Lluest-y-grafiau. Ffurf fenywaidd ar *cwta, neu llai,* yw *cota.*

Llwynbedw

SN 69230 87431

Un o dri thyddyn sydd yn adfeilion yn y cwm sy'n rhedeg rhwng *Moelgolomen* a *Chwmere*, ac sy'n dwyn enw coeden. (*Gweler hefyd*: **Pantycelyn** a **Rhydyronnen**). Nodwyd *Llwynybedw, Elerch* fel cartref David Evans, a gladdwyd yn Llanfihangel Genau'r-glyn yn 1817, a cheir *Llwynbedw* fel tŷ annedd unigol yng Nghyfrifiad 1841, ac eto yn 1851 (fferm 18 erw) a 1861, lle mae'n ymddangos fod yno ddau dŷ, ac un ohonynt yn wag. Cofnodir yr enw ar fap degwm Llanbadarn Fawr (1846) ac ar fap Arolwg Ordnans 6" (1906). Tybed a'i hwn yw'r tŷ a gyfeirir ato fel 'a messuage called *Nantycroyd* otherwise *Tythin y bedw*' mewn dogfennau dyddiedig 1821 [Gwynfryn 105/106], ac yn gynharach fel *Nantycorret,* a drafodir ymhellach isod? Mae olion Llwynbedw, sy'n cyfieithu i'r Saesneg fel *birch grove,* i'w gweld yn glir heddiw ar dir fferm Moelgolomen, gyda'r muriau wedi eu hamgylchynu gan goed bedw.

Olion Llwynbedw (2017).

Llyn-loew

SN 68558 86081

Un o dai mwyaf hanesyddol a diddorol Bont-goch, sy'n dŷ hir traddodiadol Cymreig yn dyddio o'r 16eg neu'r 17eg ganrif, er mai 1720 yw'r cofnod cynharaf ohono a geir yng nghofrestri plwyf Llanbadarn Fawr. Mae traddodiad diddorol yn gysylltiedig â'r enw sy'n rhan o'r chwedl a drafodwyd eisoes o dan yr enw Carregydifor sy'n ymwneud â lladd y bwystfil rheibus a fu'n poenydio'r ardal. Honnir fod ei waed wedi llygru a lliwio'r afon hyd at y tyddyn hwn, ac yno y gwelwyd y dŵr claear neu loyw uchaf yn rhediad Afon Leri, gan roi yr enw Llyn-loew i'r tyddyn gerllaw. Mae Cledwyn Fychan wedi cynnig eglurhad arall digon tebyg a glywodd ar lafar gan y diweddar William M. Edwards (1893–1968), Elerch House, sy'n werth ei ddyfynnu'n llawn: 'Arferai athro yn Ysgol Elerch, un a elwir yn *Roberts Unfraich,* ddweud wrth y plant mai hen gadfridog oedd Cadifor ac iddo gael ei ladd ar y llechwedd rhwng Llety Ifan Hen a Llyn-loew. Rhedodd ei waed yn nant fach goch i'r afon ger Llyn-loew, a dyna sut y cafwyd yr enw: y dŵr yn gloywi'r afon yn y pwll'.

Llyn-loew (2017).

Mae presenoldeb mawn yn tueddu i roi lliw cochlyd i'r afon ar ei hyd, ond o gwmpas y tŷ hwn ceir pyllau cliriach o ddŵr sydd, mae'n debyg, yn eglurhad mwy credadwy ar yr enw.

Yn 1983 addaswyd y tŷ i ffilmio golygfeydd allanol *A fasting girl,* hanes rhyfeddol Sarah Jacob (1857–1869), a ddarlledwyd ar BBC 2 yn 1984. Ymhlith yr actorion a fu'n rhan o'r rhaglen oedd y diweddar Iain Cuthbertson (1930-2009), Sue Jones Davies, Dyfed Thomas a William Thomas.

Llyn-loew wedi ei addasu ar gyfer ffilmio. (Llun: *Western Mail*, 20 April 1983).

Mill Cottage *gweler:* **Tai'r Felin**

Moelgolomen

SN 69479 87450

Ceir tystiolaeth mai *Tyddyn Bwlch y Pant Mawr* oedd enw gwreiddiol Moelgolomen, un o ffermydd mwyaf a phwysicaf yr ardal sy'n ymestyn i 750 erw. Mae'r teulu sy'n ei ffermio yn gysylltiedig â'r lle ers yr 17eg ganrif.

Mae gweithred ddyddiedig 1701 [Gwynfryn 133], yn gosod amodau cytundeb ar forgais rhwng William Thomas a Simon Morrys ar eiddo yn dwyn yr enw '*Tythin Bwlch y Pant mawr alias Moel y Golomen*, ... Elerch'. Cofnodir y ffurf *Moelygolommen* deirgwaith yn y 1820au yng nghofrestr claddedigaethau Eglwys Llanfihangel Genau'r-glyn. Mae'r tŷ presennol yn dyddio o'r 19eg ganrif, ond mae yno hefyd gasgliad da o adeiladau allanol, yn cynnwys mur cefn tŷ o gyfnod dipyn cynharach. Adwaenir y fferm ar lafar fel *Y Foel*, ac mae'r trigolion lleol sy'n cerdded ar hyd y ffordd galed sy'n rhedeg mewn cylch o Bont-goch i Foelgolomen gan ddychwelyd heibio Cwmere yn cyfeirio at hyn fel mynd am dro 'rownd y Foel'.

Moelgolomen (2017).

Mynydd Gorddu

SN 67246 86155

Un arall o ffermydd hynaf yr ardal, a lleoliad un o weithfeydd mwyn yr ardal. Cofnodir y ffurf *Mynydd Gorthin* ar un o lawysgrifau Cwrtmawr yn 1656. Ceir y ffurf *Mynydd Gorddy* yn 1756, ac amrywiadau ar y sillafiad hwnnw mewn cyfnodau hwyrach. Tarddiad yr ansoddair yw *gor-* + *du*, fel yr Hen Wyddeleg *fordub* 'tywyll iawn, du'. Nid oes sicrwydd pendant am etymoleg yr enw, ond mae'r diweddar Athro R. Geraint Gruffydd, wrth gyfeirio at y defnydd o'r ymadrodd 'mantell orddu' ym marddoniaeth Dafydd ap Gwilym, yn awgrymu fod hyn yn dwyn sylw at y tarddiad mwyaf tebygol. Mae Iwan Wmffre hefyd yn trafod rhai posibiliadau eraill yn ei gyfrol. Cysylltir yr enw Mynydd Gorddu yn bennaf gyda fferm wynt arloesol y diweddar Dr Dafydd Huws (1936–2011) a'i briod Rhian a gwblhawyd yn 1998. Bu'r fferm yn destun teyrnged i Dr Huws mewn llun trawiadol o waith yr arlunydd lleol Wynne Melville Jones, a welir ar glawr y llyfr hwn. Heddiw, mae Mynydd Gorddu yn rhan o arbrawf arloesol bridio defaid Cwmni *innovis* Cyf.

Mynydd Gorddu (2012). (Llun: Iestyn Hughes).

Nantycoret

SN 69230 87431

Cyfeirir ato fel *Tythin Nant y Corret*t mewn dogfen ddyddiedig 1690 [Gwynfryn 246], ac fel *Nant y Corret* yn 1780 [Glansevern 11501] a 1804 [Gwynfryn 173 & 207]. Nid yw'r union leoliad yn wybyddus, ond fe'i lleolir o fewn parsel degwm Elerch. Awgrymir mai'r elfennau *nant* + *cored* a geir yn yr enw yma. Diffinir *cored* fel 'argae i ddal pysgod, sef pyst wedi eu gyrru i wely afon neu yn y môr a gwiail wedi eu plethu rhyngddynt; argae i gronni dŵr; cryw, cawell pysgod' [*Geiriadur Prifysgol Cymru*].

Mae'n edrych yn debyg mai'r un lle yw hwn a'r 'messuage called *Tythin Nantycroyd* otherwise *Tythin y bedw'* in the township of Elerch', a nodir mewn dogfennau yn 1821 [Gwynfryn 105/106], ac mai hwn yw'r bwthyn a adwaenir yn ddiweddarach fel Llwynbedw, a drafodwyd uchod.

Nant-y-ffin

SN 69170 86153

Cyfeirir at *Tythyn Nantyffyne* mor gynnar â 1563/64 [Edwinsford 1298], ac eto mewn dogfennau dyddiedig 1719 [Gwynfryn 197], 1780 [Glansevern 11501], a 1821 [British Records Association 1235/26]. Ymddengys ei fod yn agos at Bwlchrosser. Cofnodir y cae lle saif Pant-y-ffin fel *Cae Nantyffin* ar fap degwm Llanbadarn Fawr (1846).

Nantyperfedd

SN 70658 86782

Ceir y cyfeiriad cynharaf at y fferm hanesyddol hon mewn dogfennau dyddiedig 1563/64 [Edwinsford 1298], o dan yr enw *tythyn Nant pervethe,* a cheir cyfeiriad cynnar arall at *nant y pervedd,* fel un o bedwar tyddyn oedd yn eiddo i Thomas Hugh, *Camddwr Mawr,* ac a enwir yn ei ewyllys a brofwyd yn 1745. Datblygodd i fod yn un o ffermydd pwysicaf y plwyf yn ymestyn i tua 400 erw erbyn 1871, ac fe'i cofnodwyd ym mhob Cyfrifiad rhwng 1841 a 1911. Cofnodwyd hefyd ar fap degwm Llanbadarn Fawr (1846), Cofrestr Etholwyr (1848), ac ar fapiau Arolwg Ordnans 25" (1877) a 6" (1906). Nodir David Evans, ffermwr, *Nantperfedd* yn *Kelly's Directory* (1910), ond erbyn Cyfrifiad 1911 a dechrau'r Rhyfel Mawr ymddengys ei fod wedi ymgartrefu

Olion Nantyperfedd (2006).

yng Nghwmere. Mae adfeilion sylweddol Nantyperfedd i'w gweld o hyd, ac mae'r fferm yn cymryd ei henw o *Nant Perfedd* sy'n rhedeg drwy ei thir. Mae *Perfedd* yn enw hanesyddol: roedd *Cwmwd Perfedd* yn enw ar un o gymydau canoloesol *Cantref Penweddig*. Ffiniai'r cwmwd â chymydau *Genau'r-glyn* i'r gogledd, gydag Afon Clarach yn dynodi'r ffin, a'r *Creuddyn* i'r de, gan ffurfio canol, neu *berfedd* cantref *Penweddig.* Nant Perfedd yw'r un ganol o dair nant sy'n uno ger Cwmere.

Nantylevel

Cofnodwyd *Nantylevel* yng Nghyfrifiad Elerch yn 1851 fel cartref John Young, mwynwr 56 oed, brodor o Swydd Amwythig, a'i briod Jane. Nid yw lleoliad y tŷ yn wybyddus, ac nid yw'r tŷ na'r teulu yn ymddangos ar unrhyw gyfrifiad arall.

Nantyllwyn

Cyfeirir ato fel *Tyddyn Nant y llwyn* mewn dogfen, dyddiedig 1758, [Maesnewydd 20]. Nid yw lleoliad y tyddyn yn wybyddus, ond nodir ei fod o fewn parsel degwm Elerch.

Neuaddbryn-glas

SN 69867 86479

Ceir cyfeiriad cynnar at y fferm hon yn 1563/64 fel *Tythyn y bryn glas* [Edwinsford 1298]. Cofnodir y fferm hon mewn bedyddiad a chladdedigaeth yn Eglwys Llanbadarn Fawr yn 1817 a 1820, mewn claddedigaeth yn Eglwys Llanfihangel Genau'r-glyn yn 1824, mewn claddedigaeth yn Salem, Coedgruffydd yn 1835, yng Nghyfrifiad 1841, ac ym mhob Cyfrifiad hyd at 1911. Fe'i nodir hefyd ar fap degwm Llanbadarn Fawr (1846) ac ar fapiau Arolwg Ordnans 25" (1887) a 6" (1906). Ymddengys fod y fferm wedi cynyddu ei maint o 80 erw yn 1841, i 114 erw rhwng 1851 a 1871, ac yna i 168 erw erbyn 1881. Erbyn 1891, cofnodir gwaith y deiliad fel mwynwr yn hytrach na ffermwr, a gellir dyfalu mai yng ngwaith pwysig *Bwlch-glas* yr oedd yn gyflogedig. Ceir traddodiad yn yr ardal, ond ni chadarnhawyd hynny yn ddogfennol, fod yr adeilad hefyd yn gweithredu fel tafarn i'r mwynwyr. Bu'r tŷ yn wag ers degawdau, ond mae olion sylweddol yn parhau hyd heddiw. Mae'r perchnogion

Ailgodi Neuaddbryn-glas (2017).

presennol yn awyddus i addasu ac ymestyn yr adeilad fel cartref parhaol unwaith yn rhagor. Cyflwynwyd cais cynllunio i wneud hynny ym mis Tachwedd 2015, ac fe'i caniatwyd ym Mawrth 2016. Mae'r gwaith adnewyddu yn mynd yn ei flaen yn hwylus iawn wrth i'r llyfr hwn fynd i'r wasg.

Paddocks, The *gweler:* **Sŵn-y-ffrwd**

Pantgwyn

SN 68458 86513

Un o dai hynaf y pentref, ac yn wreiddiol yn rhes o dri thŷ, a fu'n rhan o stad Pantyffynnon, a chyn hynny yn eiddo i William Cobb Gilbertson (1768–1854). Cofnodir yr enw yng Nghyfrifiad 1841, ac fel '3 houses & garden' ar fap degwm Llanbadarn Fawr (1846), ond mae'n debygol iawn fod y tŷ yn dipyn hŷn na hynny. Enwir y cae tu cefn iddo yn *cae pantgwyn* ar y map degwm. Roedd tai Pantgwyn yn cartrefu 21 o bobl yng Nghyfrifiad 1851. Ym Mhantgwyn y ganed David John Davies (1879–1935), a ddaeth yn brifathro dylanwadol ar Moore College, Sydney, Awstralia. Adnewyddwyd ac estynnwyd Pantgwyn yn 2002.

Mae'r elfen gwyn, mae'n siŵr, yn cyfeirio at y niferoedd uchel o gerrig gwynion (quartz) sydd yn yr ardal. Yn sicr, mae gwythïen ohono yn rhedeg o dan seiliau'r tŷ. Y defnydd amlycaf o'r garreg wen yn lleol yw'r gofeb ryfel ar Sgwâr Penrhyn-coch o faen gwyn anferth a gludwyd o Fanc Troedrhiwseiri: carreg a adnabuwyd ar lafar cyn ei symud fel 'Y Fuwch Wen'. *Gweler hefyd:* **Shop Pantgwyn**.

Pantgwyn (2017).

Pantycelyn

SN 68592 88113

Un o dri thyddyn sydd yn adfeilion yn y cwm sy'n rhedeg rhwng ffermydd Moelgolomen a Chwmere, ac sy'n dwyn enw coeden. (*Gweler hefyd*: **Llwynbedw** a **Rhydyronnen**). Pantycelyn oedd yr olaf o'r tri thŷ yma i gael ei ddefnyddio fel cartref. Ceir y cofnod cynharaf ohono yng Nghyfrifiad 1861, ond erbyn 1881 roedd y tŷ wedi ei ymestyn i ddwy annedd. Erbyn heddiw nid oes fawr iawn o olion i'w gweld ar y safle, a chredir i'r tŷ gael ei ddymchwel ar ddiwedd y 1950au neu ar ddechrau'r 1960au. Yn sicr, roedd y tenant yn byw yno mor ddiweddar â Hydref 1957, gan i'w henw ymddangos ar Gofrestr Etholwyr 1958–1959. Roedd y tŷ a'r tiroedd cyfagos yn rhan o ystad Gogerddan, a daeth y cyfan yn eiddo i Goleg y Brifysgol, Aberystwyth, yn dilyn trosglwyddiadau dyddiedig 29 Medi 1950 a 14 Ionawr 1952. Prynwyd

Pantycelyn (tua 1940).

y tŷ oddi wrth Goleg y Brifysgol, Aberystwyth, ynghyd â 4.25 erw o dir gan y Comisiwn Coedwigaeth ar 25 Ionawr, 1956. Yn dilyn y pryniant fe'i ailosodwyd ar rent i'r tenant, sef gwraig weddw o'r enw Elizabeth Jane Evans (1910–1999), am y swm o £5.10-0 y flwyddyn ar y dealltwriaeth pan fyddai'r tŷ yn dod yn wag, y byddai'n cael ei ddefnyddio fel stordy a chysgodfan gan y Comisiwn Coedwigaeth. [Bu farw ei gŵr Thomas Jones Evans (*g.* 1908) mewn damwain beic modur ar y ffordd rhwng Tal-y-bont a Bont-goch: *Welsh Gazette,* 2 May 1946, p. 5]. Gwerthwyd y tir eto ymhen amser gan y Comisiwn Coedwigaeth i berchennog preifat ym Mehefin 1995.

Safle Pantycelyn. Gwelir y goeden gelynnen ar gornel dde y llun (2015).

Mae'r goeden gelynnen o flaen y tŷ yn dal i sefyll, ac yn nhymor y Gwanwyn mae'r cennin pedr a'r eirlysiau yn dal i flodeuo ar glawdd blaen y tŷ. Mae llun o'r tŷ wedi goroesi, ac fe'i cyhoeddwyd ym

Mhapur Pawb, ynghyd ag ychydig o hanes gan Erwyd Howells am un o'r teuluoedd olaf i fyw yno.

Pant-y-ffin

SN 69170 86153

Mae olion Pant-y-ffin i'w gweld yn glir ar lechwedd Banc Bwlchrosser. Cofnodir y tŷ fel bwthyn mwynwr ym mhob Cyfrifiad rhwng 1841 a 1891. Er ei fod yn wag yn 1881, yn dilyn ymadawiad Thomas Evans a'i deulu, ceir teulu newydd yn byw yno yn 1882 yn ôl tystiolaeth bedydd Richard James Jones yn Eglwys Elerch ar 12 Gorffennaf 1882. Nodir y tŷ hefyd ar fap degwm Llanbadarn Fawr (1846) ac ar fap 25" Arolwg Ordnans (1887) a 6" (1906). Nid yw'n ymddangos yng Nghyfrifiad 1901 na 1911. Cafwyd tystiolaeth ar lafar gan Ceredig Evans, disgynnydd i un o'r teuluoedd a fu'n byw yno, i rai cerrig o adfeilion y tŷ gael eu defnyddio wrth godi ffermdy newydd Bwlchrosser.

Mae'n bosibl mai'r *ffin* dan sylw yma yw'r terfyn rhwng tiroedd llawr gwlad a thiroedd y mynydd, a dyna'r esboniad a gynigiwyd ar yr enw gan Angharad Fychan. Ond mae esboniadau eraill y gellir eu cynnig hefyd. Gall y *ffin* dan sylw gyfeirio at ffin rhwng dwy fferm (Bwlchrosser a Llyn-loew),

Olion Pant-y-ffin (2013).

neu'r ffin rhwng tiroedd dwy ystad. Cynigiodd Ceredig Evans un eglurhad arall yn seiliedig ar yr arolwg o briddoedd yr ardal a gyhoeddwyd yn 1970. Mae lleoliad Pant-y-ffin yn agos at y ffin sy'n gwahaniaethu tir gwlyb oddi wrth dir sychach ei ansawdd.

Pantyffynnon

SN 68651 86864

Ar un adeg un o ffermydd mwyaf y plwyf a gofnodir yng Nghyfrifiad 1851. Nodir yng Nghyfrifiad 1861 fod y fferm yn ymestyn i 175 erw gan gyflogi pedwar labrwr. Mae'n dŷ â hanes trist, am iddo gael ei daro gan fellten yn 1891 pan laddwyd dau o'r trigolion [*Cambrian News*, 26 June 1891]. Ceir yr elfen *ffynnon* mewn enwau eraill yn yr ardal megis **Ffynnonwared**, ac ar dir Pennant ceir *Ffynnon Padarn* (Pistyll Padarn), a drafodir yn fanylach o dan y pennawd **Pennant.** Cadarnhaodd Emyr Breese, cyn-berchennog y fferm, y ceir sawl ffynnon ar dir Pantyffynnon. Arferai un fod ar lawr y bwtri, neu laethdy'r fferm, tan iddo gael ei orchuddio o dan lawr concrid a phibellau dreiniau dŵr ar ddechrau'r 1970au. Lleolwyd ffynnon arall ar safle llyn pysgota newydd [SN 68704 86926] a grewyd tua'r un adeg.

Parcbach

SN 71182 87878

Nodir fel *y parc bach* ar ddogfen ddyddiedig 1758 [Maesmawr 124] ac fel *Parc bach* ar fap degwm Llanbadarn Fawr (1846). Mae'n bur debyg mai'r un lle yw *tythyn y park bache* a gofndir mewn dogfen o gasgliad Edwinsford 1298, dyddiedig 1563/64, ac a nodwyd uchod wrth drafod **Nantyperfedd**. Cofnodir *Parkbach* hefyd ar fap ystad Cyneiniog, Dolrhydlan a Waunescog [Gogerddan 18], dyddiedig *circa* 1860. Cofnodwyd y bwthyn fel *Park Bach Cottage* yng Nghyfrifiad 1861, a *Park* yng Nghyfrifiad 1871, pan oedd yn gartref i David Morgans, mwynwr, a'i deulu. Cofnodir *Parkbach* hefyd ar ddogfen o gasgliad Gogerddan, dyddiedig 1889, sy'n diffinio terfynau'r clawdd mynydd. (Yn yr un ddogfen cyfeirir at Llechweddhelyg, sydd, o bosib, yn luest arall yn agos at Parcbach ac yn gysylltiedig â Chyneiniog, ac sydd o fewn ffiniau plwyf Elerch). Lleolir Parcbach ym mhen uchaf Cwm Tŷ-nant, yn agos at waith Bwlch-glas, rhwng rheilffordd yr Hafan a'r rhyd sy'n croesi Afon Cyneiniog. Heddiw mae clwstwr o goed yn nodi safle'r bwthyn, a phrin iawn yw olion y tŷ.

Safle Parcbach (2017).

Pennant

SN 68289 86185

Tŷ modern a gwblhawyd yn 2008, sydd ag enw diddorol, a chysylltiadau hanesyddol o'r pwys mwyaf. Cyflenwir dŵr y tŷ o ffynnon yn yr ardd yn dwyn yr enw *Ffynnon Padarn,* neu *Bistyll Padarn.* Mae hon yn un o ffynhonnau sanctaidd Cymru, ac mae chwedl ddifyr wedi tyfu o gwmpas yr enw. Credir i Badarn Sant ei hun fendithio'r ffynnon wrth ei defnyddio ar ei deithiau dros y mynyddoedd yn ystod y 6ed ganrif, ac roedd trigolion yr ardal yn argyhoeddedig fod daioni gwirioneddol yn nŵr y ffynnon. Defnyddiwyd y pistyll fel ffynhonnell ddŵr cyn i'r pentref gael cyflenwad drwy bibelli.

Fel a nodwyd, wrth drafod **Gerddigleision**, yng ngardd Pennant mae modd gweld o hyd y sièd fach sinc lle byddai William Williams, y postmon lleol, yn cael seibiant haeddiannol o'i daith 20 milltir er mwyn bwyta ei ginio, cyn dychwelyd i Dal-y-bont.

Mae'r enw *Pennant* a roddwyd ar y tŷ yn ddewis diddorol. Mae'r lloriau gwaelod o gerrig tywodfaen glas Pennant (*Blue Pennant Sandstone*), a gyflenwyd o chwarel yn ardal Pontardawe, cartref mam y perchennog. Mae lleoliad y tŷ uwchlaw'r afon hefyd yn arwyddocaol yn y dewis o enw.

Penrhiw

SN 68372 86343

Arferai *Penrhiw (Cottage)* gyda *Lerry View* fod yn res o ddau fwthyn – gyda *Lerry View* yr agosaf at y ffordd fawr. Mae'r ddau dŷ yn sefyll ar dir oedd yn rhan o fferm Llyn-loew. Addaswyd y tai yn un uned gan berchnogion newydd, Gwladys a Gareth Evans, yn dilyn pryniant ar 7 Awst 1997 pan fabwysiadwyd yr enw Penrhiw ar gyfer y tŷ cyfansawdd.

Nodir yr enw *Lerry View* yng Nghyfrifiad 1911 fel cartref i Morgan Edwards a'i briod Elizabeth a gollodd fab William Morgan Edwards (1880–1915) yn y Rhyfel Mawr. Bu Morgan farw yn 1912, a phan gafodd ei gladdu yn Eglwys Elerch cofnodwyd enw'r tŷ fel *Lerry House* yn hytrach na *Lerry View.* Fe'i cofnodir ar Gofrestr Etholwyr 1935 mewn ffurf fwy Cymreig, sef *Leri View,* ac yn hwyrach yn 1950 fel *Lerri View.* Nid yw'r enw *Lerry View* yn bodoli mwyach ym Mont-goch, ond mae'r enw yn dal mewn bodolaeth ar dŷ yn Nhal-y-bont.

Cofnodir y ffurf *Penrhyw* yng nghofrestr bedyddiadau Eglwys Elerch yn 1882, a'r ffurf Penrhiw yn 1904, er mae'n debygol fod y tai yn dyddio o gyfnod cyn 1880, ond nid ydynt yn ddigon hen i ymddangos ar fap degwm Llanbadarn Fawr (1846). Roedd yr enwau *Lerry Cottage* a *Penrhiw* yn dal mewn defnydd hyd at o leiaf 1937, ac yn ddiweddarach yn 1976 fe'u galwyd yn 1 & 2 Penrhiw, gyda rhif 2 yn '*Penrhiw Cottage (formerly Penrhiw)*'.

Lleolwyd y ddau dŷ ar godiad tir uwchben yr Afon Leri, sy'n egluro tarddiadau yr enwau.

Penrow *gweler:* **Penygro**

Pen-y-bont Coch

Cofnodir *Penbontgoch, Elerch* mewn cofnod claddedigaeth Mary Jones yn Eglwys Llanfihangel Genau'r-glyn ar 19 Hydref 1824. Cofnodir yr enw *Penybont* ym mhob Cyfrifiad rhwng 1841 a 1871, ond nid yw lleoliad y tŷ yn wybyddus. Bedyddiwyd plant y teulu yn Eglwys Elerch yn 1868 a 1871 cyn iddynt symud i Ben-y-graig erbyn 1875. Cofnodir yr enw *Tan y bont Coch* ar fap degwm Llanbadarn Fawr (1846) yn ymyl ffermdy Llannerchclwydau, ond ni cheir y cyfeiriad arferol at bresenoldeb 'cottage' [SN 68992 85615]. Trafodir hyn ymhellach o dan y pennawd **Tan-y-bont Coch**.

Ceir yr enw *Penybont Coch* hefyd ar fap Lewis Morris dyddiedig 1744 [Gogerddan 211 [SN 68116 86514]. Nodir fod y lleoliad hwn yn agos iawn at y *Rhyd goch ar leri*, lle cyhoeddwyd y daflen wrth-arwisgiad *Marwnad Gruffydd ab yr Ynad Coch* yn 1969, ac sydd bron i filltir ymhellach lawr y cwm o safle *Tan y bont Coch*. Efallai mai hwn yw'r 'messuage near a place called Rhyde goch ar llerye' a nodir mewn un o ddogfennau cynnar Gogerddan yn 1616 [Gogerddan 284]. Cofnodir claddedigaeth Mary Edwards, *Penbontcoch, Elerch*, 6 oed, yn Eglwys Llanfihangel Genau'r-glyn ar 27 Mai 1834. Mae'n werth nodi mai ychydig islaw'r bont bresennol ceir trobwll yn yr afon a elwir ar lafar yn *Crochan Tomos*, lle bu crwydryn foddi yn 1908. Claddwyd ei gorff fel 'unknown male aged 60' yn Eglwys Elerch ar 17 Chwefror 1908, ac argymhellodd y crwner yn y cwest i'w farwolaeth y byddai'n syniad da i godi pont ar y safle [*Welsh Gazette*, 5 March 1908].

Er nad oedd pont yno yn 1908, tybed ai yn yr ardal hon oedd lleoliad y *Bont-goch* wreiddiol a roddodd ymhen amser ei enw i'r bont sy'n croesi'r Afon Leri ger Tai'r Felin? [SN 68361 86225]. Mae llwybr clir yn arwain o gyfeiriad *Tŷ'r Banc* i'r *Rhyd goch ar Leri*, a fyddai'n torri'r siwrne yn sylweddol i deithiwr yn anelu am Dal-y-bont o gyfeiriad Mynydd Gorddu.

Fodd bynnag, mae tystiolaeth gadarn fod y ffurf *Bontgoch* yn cael ei arddel fel enw ar gyfer prif bont y pentref a hynny ar fap dyddiedig 1790 [Gogerddan 232]. Gyda buddugoliaeth fawr Owain Glyndŵr dros fyddin

Rhyd Goch ar Leri (2015).

fawr o Fflandrysiaid Dyfed ger Afon Hyddgen yn ardal Nant-y-moch 1401, nid yw'n syndod bod traddodiad llafar wedi datblygu fod yr elfen *coch* mewn enwau lleol yn cyfeirio at waed y milwyr a drechwyd. Ceir hefyd *Gae Rhyd Goch* ar dir Mynydd Gorddu sy'n ffinio ag Afon Leri, a thŷ ar ochr Elerch i'r Afon Leri sy'n dyddio o chwarter cyntaf yr 20fed ganrif, â'r enw hyfryd Cwmrhydgoch, a drafodwyd uchod.

Penybryn

SN 68564 85266

Penbryn oedd enw gwreiddiol y tŷ a adnabyddir heddiw fel Llety Ifan Hen. Ceir cyfeiriad ato fel tenement *Penbrin* mewn dogfen ddyddiedig 1755 [Crosswood I.888], ac fel *Penybryn, Tyrymynach*, mewn cofnod claddedigaeth yn Eglwys Llanfihangel Genau'r-glyn yn 1812. Fel a nodwyd o dan gofnod **Llety Ifan Hen**, datblygodd ac ehangodd y tŷ ymhen amser i ddisodli tŷ gwreiddiol Llety Ifan Hen, sy'n dyddio o ddechrau'r 17eg ganrif.

Pen-y-graig

SN 68428 86497

John David Jones (1880–1944) a'i briod Mary Jones (1874–1939), Pen-y-graig.

(Llun: trwy ganiatâd Dewi Evans).

Cofnodir yr enw *Penygraig* yng Nghyfrifiad 1851, ac mae'r tŷ yn ymddangos hefyd ar fap degwm Llanbadarn Fawr (1846) fel 'house & garden', yn rhan o diroedd William Cobb Gilbertson (1768–1854). Er nad yw'r enw yn ymddangos yng Nhyfrifiad 1841, mae'n bur debyg fod y tŷ yn hŷn na hynny. Daw'r enw o'r graig sy'n rhedeg o dan nifer o'r tai yn y rhan hwn o'r pentre.

Penygro / Penrow

SN 68133 85933

Mae *Penrow* yn ddau dŷ cerrig sy'n dyddio o chwarter olaf y 19eg ganrif. Mae'r lleiaf o'r ddau dŷ yma yn dal i gael ei adnabod fel *2 Penrow*, ond newidiodd perchnogion newydd enw rhif 1, *Penrow* i *Benygro* yn 2001. Gwnaethpwyd hynny ar sail y ffaith mai dyna'r enw sy'n ymddangos ar weithredoedd y tŷ. Cadarnheir hynny hefyd yng Nghyfrifiad 1881 pan nodir *Penygro* fel cartref i Daniel Richards, 55, mwynwr, ei wraig a phedwar o blant. Cysylltir y tŷ gydag un o gymeriadau lliwgar Bont-goch, sef y diweddar James Ellis (1905–1986), y teiliwr, ond bellach mae'n gartref i deulu ifanc. Erbyn 1891 adnabuwyd y ddau dŷ fel *Penrow* yn y Cyfrifiad, ac ar fap Arolwg Ordnans 25" (1987), a baratowyd yn 1886, roedd yr enw hefyd wedi ei gofnodi fel *Penrow.* Ond nid oedd sillafiad yr enw wedi ei sefydlu'n llwyr gan mai ar

Penygro / Penrow (2017).

Gofrestr Etholwyr 1935, ceir y ffurfiau *Pengro a Penro. Penro* yw'r ffurf *a* glywir yn fynych ar lafar gan y brodorion. Cofnodir y ffurf *Penro* hefyd ar Gofrestr Etholwyr 1976–77. Ystyr yr elfen *gro* ydyw graean, elfen a drafodir hefyd o dan y pennawd **Cwm-glo**.

Cwblhawyd estyniad deulawr i *Benygro* yn 2016.

Plas Cefn Gwyn

SN 68070 86959

Mae Plas Cefn Gwyn, tŷ sy'n dyddio o *circa* 1818 a adeiladwyd i William Cobb Gilbertson (1768–1854), tad y Parchg Lewis Gilbertson (1814–1896), y gŵr a fu'n gyfrifol am adeiladu eglwys, ysgol a ficerdy Elerch, yn un o dai pwysicaf y plwyf o ran ei bensaernïaeth. Adnabuwyd hefyd ar rai adegau yn yr 20fed ganrif fel *Cefngwyn House* a *Cefngwyn Hall.* Fe'i nodir fel *Cefngwyn* ar bob Cyfrifiad rhwng 1841 a 1881, ond ar fap yr Arolwg Ordnans 25" (1887) ceir y ffurf Gymraeg *Plas Cefn-gwyn*. Ceir traddodiad y byddai ysbryd Gilbertson yn crwydro'r plas tra byddai yntau ffwrdd o'i gartref yn gweithredu fel Dirpwy Brifathro Coleg yr Iesu, Rhydychen, neu'n gweini fel

Plas Cefn Gwyn (2008). (Llun: Dafydd Gwion Huws).

offeiriad plwyf Braunston yn Swydd Northampton. Adroddir yr hanes yng nghyfrol Evan Isaac, *Coelion Cymru*:

> *Rhyw hanner milltir o Bontgoch y mae plas bychan o'r enw Cefn Gwyn sy'n feddiant i'r Gilbertsons ers rhai cenedlaethau. Pan ddaeth y plas i feddiant y Parchedig Lewis Gilbertson, a oedd yn offeiriad yn Lloegr, gofelid am y tŷ yn absenoldeb y teulu gan Miss Roberts. Treuliai'r teulu fisoedd yr haf bob blwyddyn yn y Cefn Gwyn, ac yn ystod un o'r gwyliau hyn gwelodd Miss Roberts ysbryd yr offeiriad. Â'r drws tan glo, un canol nos, gwelodd ef yn ei hystafell. Symudodd yn araf a thawel drwy'r ystafell, yn ôl a blaen, amryw weithiau, ac yna diflannu.*

A chlywais hefyd am draddodiad llafar yn yr ardal, sydd hefyd yn gyfarwydd iawn mewn sawl rhan o Gymru, yn gysylltiedig ag ysbryd y 'Ladi Wen' a fyddai'n crwydro o gwmpas tiroedd Plas Cefn Gwyn.

Mae'r Plas wedi ei adeiladu ar dir yn agos iawn at safle fferm gynnar sy'n dyddio o 1626, hefyd yn dwyn yr enw *Cefn Gwyn* [SN 67976 86916], ond sydd

Adfeilion fferm Cefn Gwyn o'r dwyrain (1975).

Safle olion fferm Cefn Gwyn o'r un cyfeiriad (2015).

bellach i bob pwrpas yn ddiflanedig ar ôl iddo gael ei ddymchwel yn y 1970au oherwydd nad oedd yn ddiogel. Arbedwyd y garreg sy'n nodi dyddiad yr adeilad a'i hail-leoli o flaen drws ffrynt y Plas. Cofnodir ffermdy *Cefn Gwyn* fel tŷ annedd mor ddiweddar â 1911 ac yn gartref i Arthur Davies, mwynwr, a'i deulu, ac fe saif ar safle un o wythiennau mwyn yr ardal. Nodwyd pwysigrwydd y safle gan Lewis Morris (1701–65) yn ei gynllun a'i arolwg i'r Goron o weithfeydd mwyn Cwmwd Perfedd yn 1744 [Gogerddan 211]. Bu nifer o gwmnïau mwyngloddio gwahanol yn cloddio ger yr afon islaw'r tŷ yn ystod hanner olaf y 19eg ganrif, gyda pheth llwyddiant. Mae olion y siafftiau i'w gweld yn glir ar ochr ogleddol yr afon, yn agos at bompren sy'n croesi Afon Leri.

Fel a nodwyd o dan gofnod **Pantgwyn**, mae'r elfen *gwyn*, mae'n siŵr, yn cyfeirio at y niferoedd uchel o gerrig gwynion (quartz) sydd yn yr ardal.

Defnyddiwyd Plas Cefn Gwyn fel lleoliad ffilmio ar gyfer pennod gyntaf trydydd gyfres *Y Gwyll*, a ddarlledwyd ar 30 Hydref 2016.

Rock Cottage / Rose Cottage *gweler:* **Sŵn-y-ffrwd**

Rhydfadog

SN 69284 87068

Ceir cyfeiriadau lluosog at y tyddyn hwn mewn ffurfiau amrywiol yng nghasgliad gweithredoedd Gwynfryn, gyda'r cynharaf, *Tythyne Rhyd Vadog ap Ieuan*, yn dyddio o 1608 [Gwynfryn 215]. Yn ôl dogfen ddyddiedig 1787 o'r un casgliad [Gwynfryn 198], sy'n nodi'r ffurf *Tythin Rhydfadog ap Evan*, ymddengys mai enw cynnar ar Tynewydd oedd hwn.

Rhydyronnen / Rhydyronnen Fach

SN 69000 87565

Un o dri thyddyn sydd yn adfeilion yn y cwm sy'n rhedeg rhwng Moelgolomen a Chwmere. (*Gweler hefyd:* **Llwynbedw** a **Pantycelyn**). Mae'r enw yn ymddangos fel *Rhydyronen Cwmmerau* mewn cofnod claddedigaeth yn Eglwys Llanfihangel Genau'r-glyn yn 1839, ac yna yn gyson fel *Rhydyron(n)en* ym mhob Cyfrifiad rhwng 1841 a 1911, ac ymddengys fod yma ddau dŷ, sef Rhydyronnen a Rhydyronnen Fach. Mae'r olion i'w gweld oddi ar y ffordd rhwng ffermydd Moelgolomen a Chwmere, ger coeden onnen fawr a leolir tua 100 llath o'r rhyd sy'n rhoi ei henw i'r tai. Nodir y ffurfiau *Pont Rhyd-yr-onen* a *Rhyd-yr-onen-fach* ar fapiau Arolwg Ordnans

Olion Rhydyronnen (2017).

25” (1887) a 6” (1906). Ceir y ffurf *Pont Rhydyronnen* ar fap Arolwg Ordnans Pathfinder 927 (1987). Ar sail cofnodion yng nghofrestr claddedigaethau Eglwys St. Pedr, credir i'r teulu olaf i fyw yno, William a Mary Christian, symud cyn 1924.

Ceir *Rhydyronnen* hefyd yng Nghwm Ceulan, ac mae'n debyg mai hwnnw yw'r *Tythyn yr Onnen* y cyfeirir ato mewn dogfen ddyddiedig 1764 [Maesnewydd 124].

Sarn-ddu

SN 71401 84750

Cofnodir *Sarn du* fel un o sawl tenement ar ystad *Court Grange* mewn dogfen ddyddiedig 1755 o gasgliad Trawsgoed [Crossswood 1.888]. Mewn gweithred ddyddiedig 1769 [Crosswood I.1029] ceir y ffurf *Llyast-y-sarn-ddu* ar yr enw. Nodir union leoliad y tŷ a elwir yn ei ffurf lawn, *Pensarn ddu*, ar fap dyddiedig 1788 hefyd o ystad y *Court Grange* [NLW Maps Vol. 38], a hynny fel rhan o gofnod *Lawr y Cwm.* Nodir ei fod yn dyddyn 11 erw yn agos

Olion Sarn-ddu (2017).

at Llawrcwmbach, ar ochr ddeheuol yr afon, a cheir y ffurf *Sarn ddu* hefyd ar fap degwm Llanfihangel Genau'r-glyn (1845) wrth ei ddisgrifio fel 'House, garden and field adjoining'. Ymddengys *Sarnddu* yng Nghyfrifiad Llanfihangel Genau'r-glyn am 1841 a 1851. Yn 1851 roedd yn gartref i Jane Davies, gwraig weddw a thlotyn, a'u merched 28 a 26 oed, y ddwy yn gyflogedig yn y gwaith mwyn. Fel yn achos Neuaddbryn-glas ceir traddodiad llafar fod yma dafarn, *Tafarn y Sarnau,* ar gyfer y mwynwyr, yn gwasanaethu anghenion nifer o weithiau cyfagos. Mae olion tŷ o faint eithaf sylweddol i'w gweld o hyd, ond maent yn eithaf anodd i'w canfod yng nghanol coedwig y Comisiwn Coedwigaeth. Saif yr adfeilion ar dir uchel uwchben Llawcwmmawr ar ymyl y ffordd sy'n arwain ar hyd Banc Llety Ifan Hen heibio'r *Rhiw Fawr* i gyfeiriad Llyn Syfydrin. Adnabyddir y tir yn ei ymyl fel *Waun Sarnau.* Yn ôl Cledwyn Fychan arferai'r diweddar Jenkin 'Siencyn' Nuttall Hughes (1889-1985), y gŵr olaf i ffermio Llawrcwmmawr, gyfeirio at ddefnyddio ffald y *Sarnau.* Cadarnhaodd Emyr Davies, Llety Ifan Hen, ei fod hefyd yn gyfarwydd â'r enw *Ffaldysarnau*.

Ceir fferm o'r enw *Pensarn-ddu* ar gyrion Tal-y-bont, sy'n dystiolaeth fod ffordd Rufeining Sarn Helen yn rhedeg yn weddol agos at ardal Elerch. Mae Richard Moore-Colyer yn awgrymu y ceir yr elfen *sarn* ar un o gaeau fferm *Elgar* yn Nhirymynach, ond nid yw'r enw yn ymddangos ar y map degwm. Mae Comisiwn Brenhinol Henebion Cymru yn nodi fod crochenwaith Rhufeinig wedi ei ganfod ar Fanc Troedrhiwseiri yn 1955.

Sgubor Hen *gweler:* **Tynewydd**

Shop Bont-goch

SN 68353 86443

Mae presenoldeb siop yn y pentref yn cael ei gofnodi am y tro cyntaf yng Nghyfrifiad 1861, lle ceir cyfeiriadau at *Grocer's Shop Pantgwyn* a *Shop Pantgwyn,* a chadarnheir hynny mewn rhifyn o *Baner ac Amserau Cymru,* 14 Ionawr 1888, sy'n nodi fod 'dwy siop dda' yn mhentref Bont-goch. Wrth gofnodi'r ysgol newydd Eglwysig a agorwyd yn 1856 yn y Cyfrifiad fel *Pantgwyn School,* ceir cadarnhad fod y rhan yma o'r pentref yn cael ei adnabod fel *Pantgwyn*, a bod defnydd yr enw yn ehangach dipyn na'r tri thŷ oedd yn ffurfio rhes dai *Pantgwyn Cottages,* lle saif Pantgwyn heddiw.

Cerdyn Post o Shop Bont-goch (tua 1940).

Ac wrth restru cynnwys Cyfrifiad 1891 defnyddir yr ymadrodd 'Elerch Vicarage and village of Pantgwyn adjoining' unwaith yn rhagor i nodi'r ardal arbennig yma.

Ceir tystiolaeth ddogfennol mewn gweithred rhwng Lewis Gilbertson, William North (Archddiacon Ceredigion) ac Alexander Williams (Ficer Eglwys Elerch), dyddiedig 31 Mai 1889, mai gyferbyn â'r siop sinc a adeiladwyd yn 1905 yr oedd lleoliad Siop Pantgwyn [SN 68346 86459], yng ngardd tŷ presennol Hengoed, a chadarnheir lleoliad adeilad yno ar fap Arolwg Ordnans 6" (1906).

Ymddengys fod Shop Pantgwyn yn wag yn 1891, a chyfeirir at John Morgan, *New Shop,* Bont-goch wrth restru enwau a chyfeiriadau'r rheithgor a fu'n gwasanaethu mewn cwest yn dilyn damwain yng ngwaith Bwlch-glas ar 30 Tachwedd 1893 [*Aberystwith Observer,* 21 December 1893]. Cadarnhaodd Carys Briddon fod ei thad-cu James Pierce Evans (1876–1960) wedi adeiladu siop newydd yn 1905–06 gyferbyn â lleoliad Shop Pantgwyn. Nid yw'n ymddangos ar fap Arolwg Ordnans 6" (1906), gan i hwnnw gael ei baratoi ar sail arolwg yn 1904. Ond mae'r un map yn dangos adeilad cyfagos lle heddiw saif garej y siop [SN 68385 86458] – adeilad nad oedd yno ar fap cynharach

1887. Tybed a'i hwn oedd *New Shop* John Morgan? Mae hwnnw'n adeilad o'r un gwneuthuriad â'r siop, ac mae ei faint yn ddigonol i gynnal siop sylweddol. Efallai iddi gael ei defnyddio i gadw nwyddau ar ôl i James Pearce Evans adeiladu ei siop newydd yntau gerllaw. Bu honno yn ganolfan brysur a llwyddiannus yn gwerthu pob math o nwyddau i'r gymuned hyd at mis Medi 1963 pan gaewyd y busnes. Hon, yn ôl Carys Briddon, oedd 'archfarchnad y pentre, yn gwerthu popeth oedd angen ar y gymdeithas, – nid yn unig bwyd ond hefyd glo, paraffin, bwyd ieir, meddyginiaethau, papur ysgrifennu, amlenni, biros, carai esgid, hadau blodau – mae'r rhestr yn ddiddiwedd!'. Mae'r cerdyn post a ddangosir uchod yn un o gyfres o chwech a fu hefyd ar werth yn y siop. Gwerthwyd yr adeilad yng Ngorffennaf 1965, a bu'n gartref i'r diweddar Ceredig Lloyd (1941–2015) hyd at ei farwolaeth yn Ionawr 2015. Mae dyfodol yr adeilad yn ansicr ar hyn o bryd.

New Shop, Bont-goch (2016).

Spain Cottages

SN 73620 88521

Yn ymyl y ffordd sy'n arwain o chwarel yr Hafan at Nant-y-moch adeiladwyd capel Tabor (Annibynwyr), a gwblhawyd yn 1871 i ddiwallu anghenion poblogaeth tyddynnod y mynydd a'r mwynwyr oedd yn byw mewn adeiladau pwrpasol a godwyd i gartrefu gweithwyr y gweithfeydd lluosog oedd yn yr ardal. Fe'i nodir yng Nghyfrifiad 1871, a gofnodwyd ar 2 Ebrill, fel 'Intepentant *(sic)* Chapel Building'. Bu Tabor yn ganolfan grefyddol a diwylliannol bwysig i ardal eang, ac yn 1879 bu'r bardd a'r emynydd Watcyn Wyn (1844–1895) yn beirniadu mewn eisteddfod yno. Mewn cyfrol fechan yn dwyn y teitl *Telyn Trefeurig* o waith J. Ll. Nuttall ('Llwyd Fryniog'), ceir cerdd a gyflwynwyd yn benodol i gystadleuaeth yn yr eisteddfod hon. Mae sylwadau Watcyn Wyn wedi eu cyhoeddi yn y gyfrol ac maent yn ddadlennol. Ymddengys nad oedd gan y bardd / emynydd o Rydaman lawer o synnwyr digrifwch!:

"Anerchiad da yw hwn, pe buasai wedi ei ysgrifennu dipyn yn fwy cywir a llithrig, a thaflu allan fwy o'r elfen ddifyr".

Eisteddfod Tabor

O'r diwedd daeth steddfod i Tabor,
Balch ydym am iddi hi ddod,
Bu ynom rhyw swydd i ofyn –
Gyfeillion pa beth sydd yn bod?
Bu llawer yn disgwyl amdani,
Er mwyn cael dadblygu eu dawn,
A chodi y 'steddfod i fyny
I binacl anrhydedd mwy llawn.

Hwyl iti eisteddfod ragorol
Cei groesaw, wel, tyred yn mlaen,
Tydi sy'n perffeithio'r cerddorion
A'r beirddion, medd llanciau Ysbaen
Mae'n bosibl ti fagu enwogion
Ar benau'r mynyddoedd mae'n wir;
Wel, llwyddiant fo'n dilyn d'ymweliad,
Ac eto tyr'd attom yn hir.

Dymchwelwyd y capel gan gwmni Alfred McAlpine adeg codi argae Nant-y-moch ar ddechrau'r 1960au, ac yn ôl Gwilym Jenkins, Tanrallt, Tal-y-bont, defnyddiwyd y cerrig i adeiladu pontydd newydd dros y nentydd rhwng Tabor a Phonterwyd. Bu'r garreg a oedd yn nodi enw'r capel ar goll am flynyddoedd, ond yn dilyn apêl ar dudalennau *Papur Pawb*, daethpwyd o hyd iddi mewn sièd yn Nhal-y-bont yn Nhachwedd 1990! Trefnodd Mr Jenkins, gyda chymorth ei feibion, i ail-osod y garreg ym Mai 1991 ar y safle, ac mae i'w gweld yno o hyd ar ochr y ffordd. Ysgrifennodd J. R. Jones gerdd bwerus i'r capel nodedig hwn cyn iddo gael ei ddymchwel ac fe'i cyhoeddwyd yn ei gyfrol *Rhwng cyrn yr arad'*:

Tabor

Ei lechi nadd sy' bellach yn ymgrymu
Dan orthrwm y drycinoedd blwng, di-daw;
Ei blastrin a'i dulathau moel yn madru
A'r allor ddrylliog yn y gwynt a'r glaw.
Di-raen ei wedd, a thros y llwybrau brwynog
'Ddaw neb i'r cymun mwy yng ngolau'r lloer,
Darfu yr emyn a'r seiadau gwlithog,
Mae'r hen drigolion yn y fynwent oer.

Y garreg sy'n nodi enw'r Capel (2015).

Chwithau, blant ysgafn oes y galifantio,
A noddwyr parchus sinema a chwist,
Mwrdrwyr Sabath! na ddôi rhyw rym i'ch deffro
O drobwll rhwth eich aniweirdeb trist,
A phrofi nerthoedd y gymdeithas iach
A ffynnai gynt rhwng muriau'r capel bach.

Enw'r capel ar lafar oedd *Tabor y Mynydd*, neu *Gapel Sbaen*, ac mae hynny i'w briodoli i'r ddau fwthyn a safai nid nepell o'r capel ac a adwaenid gan yr enw Spain Cottages. Defnyddiwyd y ffurf *Ysbaen* yng ngherdd Llwyd Fryniog a ddyfynnir isod, a cheir troednodyn ganddo yn nodi: 'Gelwir yr ardal lle saif Tabor, yn Ysbaen', ond ni chynigir esboniad ar yr enw. Yn eu hymyl roedd baracs hefyd yn dwyn yr un enw, a gellir gweld olion prin y ddau fwthyn hyd heddiw. Ceir *Spain* ar fap dyddiedig 1859 [Gogerddan 24] a cheir *yspaen Coatage* (sic) yng Nghyfrifiad 1861, *yspaen Cottage* ac *yspaen Barracks* yng Nghyfrifiad 1871, a'r ffurf *Spain Cottage* yn 1881. Nodir yng Nghyfrifiad 1891 a 1901 nad oedd neb yn byw yn yr un o'r ddau Spain Cottages.

Capel Tabor a Spain Cottages.

(Llun a dynnwyd gan y diweddar Dr T. Ifor Rees, 1890–1977).

Nid oes sicrwydd beth yw tarddiad yr enw, ond yr esboniad mwyaf tebygol yw ei fod yn gysylltiedig â'r hyn a ysgrifennodd William Waller yn ei adroddiad yn 1689, am y *Welsh Potosi* pan gymharodd botensial cyfoeth mwynfeydd cyfagos Esgair Hir ac Esgair Fraith gyda mwynfeydd enwog Bolivia o'r un enw. Mae *potosi*, gair Sbaeneg, yn cyfieithu fel ffortiwn.

Cynigir esboniad tebyg ar yr enw, ond un sy'n fwy rhamantus, gan Cledwyn Fychan yn ei gyfrol *Nabod Cymru,* ac mae'n werth ei ddyfynnu'n llawn:

> *Dywedodd un o'r mwynwyr wrth gyfaill ei fod am ymfudo i un o fwyngloddiau Sbaen ond pan gyfarfu'r ddau ymhen blwyddyn 'roedd y mwynwr yn codi tŷ ar lannau'r Camddwr. "Fan hyn mae dy Sbaen di , felly", meddai'r cyfaill, a Sbaen fu enw'r tŷ byth oddi ar hynny. Pan godwyd capel gerllaw yn ddiweddarach, Capel Sbaen oedd hwnnw hefyd'.*

Olion Spain Cottages gyda chronfa Nant-y-moch yn y cefndir (2015).

Sŵn-y-ffrwd

SN 68323 86216

Cofnodir tŷ ar y safle hon ar fap degwm Llanfihangel Genau'r-glyn (1845), yn un o ddau adeilad yn unig, oedd ar ochr isaf Afon Leri yn ystod y cyfnod yma, rhwng yr afon a bwthyn hynafol Tŷ'r Banc. Fe'i nodwyd fel 'house, premises & garden', yn gartref i Richard Ellis ac yn eiddo i ystad Trawsgoed. Er mai *Bontgoch Cottage* a nodir yng Nghyfrifiad 1901 a 1911 cyfeirir hefyd at y bwthyn yma fel *Cotty'r Bon*t a *Cotty y Peri* mewn adroddiadau yn *Baner ac Amserau Cymru ar* 30 Ionawr 1895 ac ar 9 Mawrth 1895. (Mae'n debyg fod *Peri* yn gamgymeriad sillafu am *Leri*, er ei fod yn ymddangos ddwywaith yn yr un adroddiad). Lleolir y *coty* neu'r bwthyn yma, ar lannau Afon Leri, yn agos at y bont sy'n croesi'r afon, a drws nesaf i'r adeilad a fu unwaith yn gapel y Methodistiaid. Cadarnheir y lleoliad yn adroddiad 9 Mawrth 1895 pan nodir fod *Cotty y Peri* 'o fewn dwylath i fur mynwent y Wesleyaid yn Bont-goch', lle claddwyd Jane Evans ar 27 Chwefror 1895. Ond *Cottage*, a nodir fel ei chartref ar ei charreg fedd. Ac i gymhlethu pethau ymhellach cofnodir y tŷ fel *Rock House* yng Nghyfrifiad 1891.

Yn ystod y cyfnod ar ôl y Rhyfel Mawr rhoddwyd yr enw *Rose Cottage* arno, cyn ei newid gan berchennog newydd i *The Paddocks* yng nghanol y 1970au. *Sŵn-y-ffrwd* yw enw'r tŷ erbyn hyn, enw a fathwyd gan Margaretta Elizabeth Ann Evans (1905–1996), mam y diweddar Gareth T. Evans (1927–2015) pan symudodd yno i fyw o Lawrcwmbach yn ystod y 1970au.

Mae'r tŷ yn cael ei adnewyddu gan deulu lleol ar hyn o bryd.

Sŵn-y-gog

SN 68171 85961

Datblygiad newydd yn 1992 ar dir Cwm-glo i Peter ac Ann Basnett. Fel yn achos Cae'r-gog, dewiswyd yr enw gan fod y gog i'w chlywed yn canu yn y coed gyferbyn.

Sŵn-y-gwynt

SN 68318 86523

Datblygiad newydd yn 2009 a enwyd gan y perchnogion cyntaf Ffion a Phil Hatfield. Dewiswyd yr enw oherwydd fod lleoliad y tŷ yn gwynebu'r gorllewin a chyfeiriad y prifwynt.

Tabor y Mynydd *gweler:* **Spain Cottages**

Tai'r Felin

SN 68348 86291

Mae Tai'r Felin yn cael eu hadnabod gan lu o enwau gwahanol ac maent yn cael eu hadnewyddu a'u hymestyn gan berchennog newydd yn dilyn caniatâd cynllunio a roddwyd yn 2015. Mae'r tai, ynghyd â'r felin ŷd gerllaw, yn adeiladau cofrestredig gan Cadw, ac yn dyddio o'r 19eg ganrif.

Cofnodir y ffurf *Lerry Cottage* i ddynodi'r hyn a elwir gan Cadw yn 'service wing', sef y lleiaf o'r ddau dŷ, fel cartref dau blentyn a fedyddiwyd yn Eglwys St. Pedr yn 1906 a 1909 i Evan ac Elizabeth Ann Davies. Mae'r ffurf hefyd yn ymddangos yng Nghyfrifiad 1911. Defnyddiwyd y ffurf *Llety'r Felin* yn ddiweddarach i ddynodi'r un tŷ, a chofnodir y ffurf *Mill Cottage* i ddynodi'r mwyaf o'r ddau dŷ yn 1911.

Tai'r Felin, cyn eu hadnewyddu (2011). (Llun: Iestyn Hughes).

O dan Tai'r Felin arferai ffatri wlân sefyll, ac mewn llif dinistriol iawn yn 1858 adroddwyd yn y wasg fod y cyfan wedi ei olchi i ffwrdd:

> *'A cloud burst above Wernffrwd, a sheepwalk, near Bontgoch, in the upper part of Cardiganshire, which caused the rivers Rheidol, and Lery, to rise instantaneously, particularly the Lery, to such an extent that has never been before seen. Bontgoch factory, buildings, machinery, together with*

flannels and wool the property of Mr Edward Whittington, were carried away by the flood towards Talybont'. (Cardiff & Merthyr Guardian, 26 June 1858, p. 8).

Cyn agor capel Ebeneser yn 1836, ffurfiwyd Cymdeithas Wesleaidd yn 1833 o 10–12 o addolwyr, ac arferent gwrdd yn wythnosol i addoli yn Nhai'r Felin.

Tanllidiart

SN 68511 86513

Roedd Tanllidiart yn gartref i un o gymeriadau mwyaf lliwgar y pentref, sef y diweddar David James Thomas (1938–2009), neu *Dei Bont-goch* fel y'i hadwaenid gan bawb. Difrodwyd ei dŷ bron yn llwyr gan dân difrifol yng Ngorffennaf 2008, a chyfnod byr yn unig a gafodd y perchennog yn ei gartref ar ei newydd wedd cyn ei farw. Ymddengys fod yr enw *Tanllidiart* yn dipyn hŷn na'r tŷ presennol nad yw'n ymddangos ar y map degwm. Credir, o bosibl, fod y tŷ gwreiddiol wedi ei leoli ar draws y ffordd i'r tŷ presennol, o flaen tŷ modern Cae Bychan a godwyd yn y 1980au, a dengys y map degwm adeilad yno [SN 68512 86532]. Mae'n debygol iawn mai hwn yw'r *Tanllidiart*

Olion y Tanllidiart gwreiddiol (2006).

a nodir yng Nghyfrifiad 1851. Tynnwyd llun yr adfeilion yn y flwyddyn 2006 ac olion y mur amgylchynol yw'r unig gerrig sy'n weddill ohono erbyn heddiw. Cafwyd caniatâd y perchennog i brynu a defnyddio nifer sylweddol o gerrig yr adfail i ailadeiladu'r wal sy'n amgylchynu gardd ffrynt Pantgwyn.

Mae'r Tanllidiart presennol yn un o ddau dŷ sydd ynghlwm yn eu gilydd. Enw'r llall yw Gwelfryn, a chofnodir yr enw hwnnw yng Ngofrestr Etholwyr 1945. Mae'n bur debyg fod hwnnw hefyd yn cael ei adnabod fel Tanllidiart ar un adeg.

Mae'n bosib fod tarddiad yr enw yn deillio o *lidiart* a leolwyd ychydig i fyny'r ffordd o'r tŷ. Dengys y map degwm fod y ffordd yn culhau dipyn ar ôl mynd heibio Tanllidiart i gyfeiriad Bwlchrosser. Mae hynny yn awgrymu'r angen i osod *llidiart* yn y lleoliad hynny, ac mae'n bosibl iawn mai hwn oedd y *llidiart* oedd yn dynodi dechreuad tir y mynydd. *Gweler hefyd:* **Gwelfryn**

Tan-y-bont Coch

SN 68992 85615

Cofnodir yr enw *Tan y bont Coch* ar fap degwm Llanbadarn Fawr (1846) yn ymyl ffermdy Llannerchclwydau, ond ni cheir y cyfeiriad arferol at bresenoldeb 'cottage', er y dangosir rhai adeiladau ar y fangre hon. Wrth ymweld â'r safle gellir olrhain yn weddol sicr leoliad tebygol y bont, ac mae rhes o gerrig yn ymyl y safle yn awgrymu lleoliad posibl i dŷ, er ei fod braidd yn agos at gwrs presennol yr afon. Nid oes olion amlwg i'w gweld ar y safle sy'n cyfateb i'r adeiladau a welir ar y map degwm. Ond os oedd tŷ yno, mae'n bosibl y byddai'r cerrig gwreiddiol wedi eu defnyddio i godi adeiladau fferm cyfagos.

Tanybwlch

SN 68030 85845

Un o dai hynaf yr ardal ac sy'n ymddangos yng Nhyfrifiad Tirymynach am 1841. Yn ei gywydd 'Taith i Garu', sy'n cyfeirio'n benodol at ardal Elerch, mae Dafydd ap Gwilym yn cyfeirio at *Fwlch* yn y gerdd. Mae Dr David Jenkins wedi awgrymu mae enw'r bwlch ar frig y ffordd o Frogynin i Elerch oedd *Bwlch Meibion Dafydd*. Nid oes tystiolaeth bendant i gadarnhau hynny, ond cafwyd wybod gan Emyr Davies, Llety Ifan Hen, ei fod yntau a'i briod

Only force will get us out, say squatters

AN OFFICIAL of Cymdeithas yr Iaith Gymraeg who moved into a holiday cottage with his young famil this week said yesterday the would not move out unless they were forcibly evicted.

Mr. Sion Myrddin, a 30-year-old joint secretary of the society, his wife Dilys, aged 28, and their two young daughters left their caravan at Bontgoch, near Penrhyncoch, Cards., on Tuesday night, and moved into the cottage a mile down the road in the village.

It is owned by a retired Oxford teacher who is visiting sick friends in Germany.

Mr. and Mrs. Myrddin said that, even if they were evicted, they would not move back to the caravan, but planned to squat in other empty holiday homes in the area.

They have told the cottage owner's son that they will pay for the electricity they use, but they have not promised that they will pay any rent.

Mrs. Myrddin, an English-born woman who learned to speak Welsh, said she was determined that their children, Elisabeth, three, and Lowri, 18 months, should not have to face the winter in the caravan. It is situated in the hills on a lonely field where they rent a plot from a local farmer.

Too cold

"Although I support my husband in his protest on behalf of the society, my most important reason for moving here is to make sure the children don't spend the winter in the caravan," she said. "We cannot go back there. It is too cold, and we have not proper sleeping arrangements."

The family moved from Barry to Cardiganshire last July after buying the caravan from a builder and renovating it.

They moved to Wales a year ago from Nottingham, where Mr. Myrddin had held a number of different jobs in a factory, restaurant and with an export firm over a period of five years. Before that he spent 10 years in the Merchant Navy after running away to sea from his home at Holyhead, Anglesey, when he was 14.

He met his wife six years ago, married a year later, and two years ago he was accepted as a drama student at Trent Polytechnic, Nottingham, but, soon afterwards, decided to return to Wales "to share in the responsibilities with my fellow countrymen in the struggle to obtain equal status for the Welsh language and for homes for our people."

He says he was accepted as a drama …udent at Glamorgan College of Educa-…n, Barry, a year ago on condition that … passed 'O' level English before entry. … he refused to take the examination …cause I had been accepted at Trent …hout it, so I decided not to try."

● At the gate of the holiday home in which they are squatting at Bontgoch, Cards., are Sion Myrddin and his wife Dilys with their children Lowri, aged three, and 18-month-old Elizabeth.

Before coming back to Wales, Mr. Myrddin had been active in protests in London against Apartheid and the Vietnam war.

Last April, he was bound over to keep the peace for a year after appearing before a court in London on a charge of causing damage at BBC studios at Bush House.

He says the cottage owner, Mr. A. Prag, of Harcourt Hill, North Hinksey, Oxford, will have to take out a possession order in a civil court before he can evict his family. If Mr. Prag obtains an order, Mr. Myrddin intends to appeal.

The police have interviewed Mr. Myrddin at the cottage, but are not expected to take any action unless the owner make a perty has been damaged. The Myrddin family entered the cottage through a back door which had been left open, and did not cause and damage. They brought their own food to the fully furnished cottage.

Mr. Myrddin said yesterday that out of the dozen houses in the village four or five were holiday homes, and he planned to move into one of them if evicted.

Calling

"The caravan will now be sold or even given away to someone in more need of accommodation," he said. "There is no reason for us to keep it because we don't intend living in it again. We want to live in a house."

But he admitted he would not be able to afford to buy a house, although he refused to reveal his salary from the society.

"As a secretary of the society I was only elected fir a year, and, so far as finance goes, there is not much security in it," he said. "The wages can barely be lived on, but I look on it as a calling. It is not a job."

The cottage owner's son, Mr. John Prag, head of the archaeological department at Manchester University Museum, said last night he spoke to Mr. Myrddin on the telephone on Tuesday night.

"I told him it was my father's house, and I did not want my father worried. He has had enough troubles recently, and is in Germany now to visit sick friends.

"I was hoping Mr. Myrddin would take this into consideration and move out, but he gave me no indication that he would do so. I think he was probably nervous and concerned to put across the points of view of his society, and I don't think he realised that I sympthised with him."

Protest Tanybwlch (1973). (*Western Mail*, 24 October 1973).

yn dal i gyfeirio at safle'r groesffordd sy'n cysylltu ei fferm gyda Throedrhiwseiri a Thanybwlch fel *Pen Bwlch* [SN 67953 85686]. Gan fod Tanybwlch wedi ei leoli ar waelod y ffordd sy'n arwain o *Ben Bwlch* tuag at bentref Bont-goch, mae'n debygol iawn mai dyma darddiad yr enw sydd dan sylw. Nodir un o gaeau Troedrhiwseiri ar fap degwm Llanfihangel Genau'r-glyn (1845) fel *Bank nessa y tan y bwlch.*

Daeth Tanybwlch i amlygrwydd yn 1973 pan, fel tŷ haf, y'i meddiannwyd gan Siôn a Dilys Myrddin a'u plant mewn protest ar ran Cymdeithas yr Iaith Gymraeg. Mae'r tŷ presennol yn cael ei adnewyddu a'i ymestyn ar hyn o bryd.

Tan-y-cae

SN 68332 88390

Adnabyddir y tŷ yma heddiw, sydd drws nesaf, ond nid ynghlwm â Glanrafon, fel Tan-y-cae. Roedd yn eiddo i ystad Gogerddan tan 1927, pan brynwyd ef gan y tenant Gertrude H. Ingham (1874–1949). Mae John Thomas, a fagwyd drws nesaf yng Nhwmere, yn ei chofio fel dipyn o gymeriad. Cyfaddefodd John wrthyf ei fod yntau, a phlant eraill yr ardal, yn mynd i ardd Tan-y-cae i ddwyn afalau ar adegau, ond bu teulu Cwmere yn garedig iawn i Miss Ingham yn ei blynyddoedd olaf drwy fynd â chinio Dydd Sul iddi yn wythnosol. Miss Ingham oedd un o'r personau cyntaf yn yr ardal i fod yn berchen ar fodur, a gwelir ei char yn y llun a atgynhyrchwyd o dan y pennawd **Glanrafon**. Yn dilyn ei marwolaeth bu'r tŷ yn eiddo i nifer o deuluoedd gwahanol gan gynnwys teulu'r Winllan a Thŷ-nant. Cafwyd tystiolaeth gan y perchennog presennol mewn dogfennau cyfreithiol mai Glanrafon oedd enw gwreiddiol y tŷ hwn, yn ogystal â'r tŷ drws nesaf. Cadarnheir hynny wrth edrych yng Nghyfrifiad 1871, sy'n nodi dau dŷ yn ymyl eu gilydd o'r enw Glanrafon. Erbyn Cyfrifiad 1881 nodwyd un ohonynt fel *Tyncae,* ond yn 1901 a 1911 fe'u nodir fel *Glanyrafon* unwaith yn rhagor – roedd siop yno yn 1911. Ymddengys, fodd bynnag, fod y ffurf *Tanycae* wedi ei sefydlu erbyn cyhoeddi Cofrestr Etholwyr 1918, er mai Glanrafon a nodir fel cyfeiriad y tŷ ar gofrestr Eglwys Elerch pan gladdwyd Miss Ingham yn 1949.

Tan-y-foel

SN 69184 88465

Lleolwyd y tyddyn hwn o 10 erw yng Nghwm Tŷ-nant, ond prin yw'r olion sydd i'w gweld yno heddiw. Torrwyd nifer o goed pinwydd ger y safle yn ddiweddar, a phlannwyd rhai newydd yn eu lle. Cofnodir yr enw ym mhob Cyfrifiad rhwng 1851 hyd at 1901, ond nid yw'n ymddangos yng Nghyfrifiad 1911. Fe'i ceir ar fap Arolwg Ordnans 25" (1887) a 6" (1906). Cofnodir enw *Llechwedd Tan-y-foel* ar fap Arolwg Ordnans Pathfinder 927 (1987).

Soniodd David Elwyn Griffiths, Nantddu, wrthyf am Jenkin Morgan, tyddynwr a mwynwr Tan-y-foel, yn gorfod rafflo llo bach yn Sioe Tal-y-bont

Safle Tan-y-foel (2015).

er mwyn codi arian i'w deulu. Enillwyd y raffl gan ei gymydog David Evans (1877–1955), Cwmere, a bu yntau'n ddigon caredig i gyflwyno ei wobr yn ôl i'r perchennog.

Tanyllechwedd

SN 69618 86527

Codiad tir yn nodi lleoliad Tanyllechwedd (2015).

Lleolwyd yn agos iawn i Dre-boeth, i'r de-ddwyrain ar lechwedd o dan Fanc Tynewydd, ond nid oes olion o'r tŷ i'w gweld yno heddiw, ar wahân i godiad amlwg yn y tir. Cyfeirir ato fel *Tŷ yn y llechwedd* mewn setliad priodas 1780 [Glansevern 11501] ac eto mewn dogfen ddyddiedig 1821 [British Records Association 1235/26]. Mae'r enw yn ymddangos ym mhob Cyfrifiad rhwng 1851 a 1891, ond mae'r ffurf yn amrywio rhwng *Tanllechwedd* a *Ty'nllechwedd*. Cofnodir ar fap Arolwg Ordnans 25" (1887) fel *Tan-y-llechwedd.*

Tre-boeth

SN 69644 86629

Cyfeirir ato mewn dogfennau dyddiedig 1780 [Glansevern 11501] a 1821 [British Records Association 1235/26], a nodir yn y ddwy ddogfen mai enw gwreiddiol Tre-boeth oedd *tŷ Bach*. Fe'i enwir hefyd fel *Treboeth, Elerch* mewn cofnod claddedigaeth yn Eglwys Llanfihangel Genau'r-glyn yn 1821. Cofnodir y ffurf *Treboeth* ym mhob Cyfrifiad rhwng 1841 a 1881 (gyda'r amrywiad *Dreboeth* ar adegau), ac ar fap degwm Llanbadarn Fawr (1846), hefyd ar fapiau Arolwg Ordnans 25" (1887) a 6" (1906). Mae olion y tŷ i'w gweld yn glir o dan lwybr cyhoeddus sy'n rhedeg y tu cefn i'r adfeilion.

Olion Tre-boeth (2015).

Trefin

SN 68348 86037

Mae hanes adeiladu Trefin wedi ei ddogfennu'n fanwl iawn ym mhapurau Byrddau Dŵr Ceredigion. Fe'i hadeiladwyd gan Gwmni Woolaways o Taunton rhwng Ebrill a Medi 1966 fel tŷ i oruchwyliwr gwaith trin dŵr Bont-goch, a hynny ar gost o £3,280. Tybir mai Emily Jane, gwraig y goruchwyliwr cyntaf, David Tudor Pinnell, a roddodd yr enw Cymraeg Trefin ar y tŷ. Roedd hi'n Gymraes o Sir Fôn, ac ysbrydolwyd yr enw, efallai, gan gerdd enwog Crwys i felin Tre-fin.

Trem-y-rhos

SN 68386 86434

Datblygiad newydd i Robert ac Enid Evans yn 1974 ar dir oedd yn eiddo i fferm Pencwm, a chyn hynny Llyn-loew. Deallaf i'r enw gael ei fathu ar ôl i Robert Evans weld tŷ yn dwyn yr enw Trem-yr-Wyddfa yn ardal Eryri. Ymddengys fod yr elfen *rhos* yn cyfeirio at yr un darn o dir ac a geir, o bosibl, yn yr enw Bwlchrosser [*bwlch* + *rhos hir*], sy'n cefnu ar y tŷ. Yn dilyn cau'r Swyddfa Post yn Gerddigleision bu Enid Evans yn cynnig yr un gwasanaeth o Drem-y-rhos hyd at 2004, pan gaeodd y swyddfa yn derfynol. Erbyn hynny dim ond pump o drigolion y pentref oedd yn defnyddio'r gwasanaeth yn rheolaidd.

Troedrhiwseiri

SN 67857 85203

Mae Troedrhiwseiri yn un o dai hanesyddol yr ardal, ac mae tystiolaeth o fodolaeth tŷ annedd ar y safle yn dyddio o'r 18fed ganrif. Nid yw'r tŷ presennol ond yn dyddio o droad yr 20fed ganrif, a thybir mai un o'r sguboriau allanol sydd yn ei ymyl oedd y tŷ gwreiddiol. Yn y llun gwelir y tŷ presennol ac olion adeilad a ddefnyddiwyd fel man pobi bara, yn ogystal â gweithredu fel cwt mochyn. Mae'n bosib fod rhan o'r adeilad hwn wedi gweithredu fel tŷ yn ogystal, ond y gred gyffredinol yw nad oes olion o'r tŷ gwreiddiol yn bodoli. Mae Comisiwn Brenhinol Henebion Cymru hefyd wedi tynnu sylw at olion tŷ hir traddoddiadol [SN 6953 8531] ar Fanc Troedrhiwseiri, sy'n dyddio o'r Canol Oesoedd. Mae'n bosibl iawn mai'r tŷ

Olion un o adeiladau gwreiddiol Troedrhiwseiri, ynghyd â lleoliad y tŷ presennol (2016).

hwn oedd *Nantyseri*, cartref Morfudd, a enwir yng ngwaith Dafydd ap Gwilym. Ystyr y gair *seri* yn ôl *Geiriadur Prifysgol Cymru* yw 'llwybr wedi ei balmantu', ac mae lleoliad y tŷ ar waelod rhiw serth yn gwneud synnwyr o ran dehongliad. *Troedrhiwseri* a gofnodwyd ar fap yn 1764 [Nanteos 327]; ymddengys fod yr enw Troedrhiwseiri yn ddatblygiad diweddarach.

Tŷ Capel

SN 68306 86195

Credir i'r *Tŷ Capel* (neu *Chapel House* fel yr adwaenir ef hyd at yn gymharol ddiweddar) gael ei godi ar yr un adeg â Chapel Ebenezer yn 1835. Ymddengys mai'r tŷ hwn oedd cartref Griffith Jones a'i deulu yng Nghyfrifiad 1841, gan nad oedd unrhyw dŷ arall yn bodoli rhwng Tanybwlch a Cotty'r Bont ar y pryd, yn ôl map degwm Llanfihangel Geneu'r-glyn (1845). Yn dilyn cau'r Capel yn 1986, fe'i gwerthwyd gan yr Eglwys Fethodistaidd ac adnewyddwyd a helaethwyd y Capel a'r tŷ drws nesaf gan y perchennog newydd, Alf Engelcamp. Fel a nodwyd o dan y pennawd **Bwthyn Rhosyn Gwyllt** ceir tystiolaeth lafar fod tri bwthyn ar y safle cyn codi'r capel a'r *Tŷ Cape*l, ond ni welwyd unrhyw ddogfennau neu fapiau i gadarnhau hynny.

Tŷ Rhosyn

SN 68476 86492

Datblygiad newydd diddorol yn 2006 ar dir Penybanc, Penrhyn-coch, yn dŷ eco gyda rhai muriau o feiliau gwellt gan Lynn Belton (Clarke) a enwyd ganddi yn *Tŷ Rhosyn* oherwydd ei hoffter o rosynnod, sydd erbyn hyn yn addurno mur y tŷ.

Tŷ Shôn y Go' *gweler:* **Glanrafon**

Tŷgwyn

SN 68516 87702

Mae *Tŷgwyn* yn un o dai hynaf y plwyf. Ceir cyfeiriad ato yng Nghyfrifiad 1841, a chyn hynny fel *Tygwyn, Eler*ch mewn cofnod claddedigaeth yn Eglwys Llanfihangel Genau'r-glyn yn 1825. *Tygwyn* oedd cartref Charles (Elerch) Jones a'i frodyr a ymfudodd i Silverton, Colorado ar ddiwedd y 19fed ganrif i weithio yn y diwydiant mwyngloddio arian.

Tŷ-gwyn – cyn ei adnewyddu (1972).

(Llun: Richard Hamp).

Yn ddiweddarach roedd y bardd gwlad Hafanydd (Edward Jenkins) yn byw yno. Cyhoeddodd gerdd ddadleuol i Gwm Tŷ-nant yn *Baner ac Amserau Cymru*, 20 Rhagfyr 1899, t. 7, a esgorodd ar ddadleuon chwyrn am achos posibl o lên-ladrad oddi ar waith J. F. Nuttall, awdur *Telyn Trefeurig.*

Arferai'r tŷ fod yn rhan o stad Cefn Gwyn ac yn ddiweddarach Pantyffynnon, ond ar ddiwedd y Rhyfel Mawr peidiodd â bod yn dŷ annedd, ac fe'i defnyddiwyd fel adeilad amaethyddol. Credir mai'r person olaf i fyw yno oedd Margaret Ann Lloyd, gweddw Hugh Lloyd, a mam Stanley Lloyd (1908–1986), y Felin, un o gymeriadau mwyaf y pentref.

Ar ôl i'r tŷ fod yn wag am dros 50 mlynedd, fe'i prynwyd yng Ngwanwyn 1972 gan Richard Hamp. Adferwyd y tŷ yn llwyddiannus gan Richard, gan ddarparu ffordd newydd hwylus i'w gyrraedd, ac mae'n dal i fyw yno.

Fel yn achos Plas Cefn Gwyn a Phantgwyn, credir fod yr elfen *gwyn* yn bresennol yn yr enw hwn am yr un rheswm a nodwyd uchod.

Tŷ-hen

SN 69728 85735

Gwelir ychydig o olion Tŷ-hen ar ymyl y ffordd las sy'n arwain o Bont-goch i Lawrcwmbach. Nodwyd y tŷ fel cartref i deulu Mason yng Nghyfrifiad 1841, teulu Morris yn 1851, ond yn 1861 fe'i nodwyd fel tŷ gwag. Cyfeirir at *Ty-hen a Chae Tyhen* ar diroedd Llyn-loew ar fap degwm Llanbadarn Fawr (1846), ac fel *Tyhen Llanerch* mewn cofnod claddu yn 1863 yn Llanfihangel Genau'r-glyn. Yn 1871, roedd Tŷ-hen yn gartref i Richard Hughes, mwynwr, a'i chwaer-yng-nghyfraith. Cyhoeddwyd dau englyn coffa i'w nai, hefyd yn

Olion Tŷ-hen (2006).

dwyn yr enw Richard Hughes, a fu farw yn ifanc yn Nhŷ-hen, yn *Y Dydd*, 10 Rhagfyr 1869. Nodir *Tŷhen* fel cartref teulu Lewis Cheney, ffermwr 13 o erwau a mwynwr, a'i briod Jane, yng Nghyfrifiad 1881. Rhwng 1878 a 1882 bedyddiwd tri o'u plant yn Eglwys St. Pedr, Elerch, ac yn 1883 claddwyd Elizabeth eu merch ym mynwent St. Pedr, Elerch yn 7 oed. Cofnodir *Tyhen* ar fap Arolwg Ordnans 25" (1887). Nid yw'r tŷ yn ymddangos yng Nghyfrifiad 1891.

I'r de-ddwyrain o Dŷ-hen, ar ochr arall yr afon ym mhlwyf Tirymynach, ceir olion Llechwedd-du. Fel y nodwyd o dan gofnod Llechwedd-du, roedd *Pont Dafydd* neu *Pontbren Dafydd* yn fan croesi rhwng y ddau dyddyn.

Tynewydd

SN 69284 87068

Defnyddir safle wreiddiol Tynewydd [SN 69300 87068], sydd ochr arall y ffordd i'r tŷ presennol fel gofod parcio ychwanegol i'r Tynewydd presennol. Bu'n rhaid dymchwel yr adeilad deulawr hwn yn 1976 oherwydd ei fod mewn cyflwr peryglus. Addaswyd tai allanol yr hen Dynewydd i greu'r tŷ presennol yn 1991. Ceir tystiolaeth mai *Sgubor Hen* oedd enw gwreiddiol yr adeiladau hyn. Cyfeirir at *Tythin y Skybor Hen* alias *Tire David lloyd* mewn dogfen ddyddiedig 1690 [Gwynfryn 246], ac at 'Scybor hen ... but now called

Tynewydd cyn ei addasu'n dŷ, tua 1990. (Llun: Monica Lloyd-Williams).

Tynewydd (2015).

Tŷ Newydd' mewn dogfen ddyddiedig 1780 [Glansevern 11501] a dogfen ddyddiedig 1821 [British Record Association 1235/26].

Mae'r enw Tynewydd yn ymddangos yng Nghyfrifiad 1841 hyd at 1891, ond ymddengys fod y tŷ yn wag yn 1901. Cofnodir yr enw ar fap degwm Llanbadarn Fawr (1846).

Nodir un stori drist gan Ceredig W. Davies yn ei nodiadau ar un o'i gyndeidiau, Thomas Evans, Tynewydd. Yn dilyn storm fawr o eira yn Chwefror 1865, fe wnaeth hel ei ddefaid i gyd a'u gosod yn y ffordd ger Tynewydd, yng nghysgod y cloddiau. Ond yn anffodus, nid oedd hynny yn ddigonol i'w hachub, a chollodd ei holl braidd.

Tŷ'r Banc

SN 67980 85837

Mae hwn yn dŷ modern a godwyd gan John H. a Shân E. Jones a'i gwblhau yn 1995, ar safle tŷ cynharach. Ar gofrestr Eglwys Elerch ceir y ffurfiau canlynol: *Tyrbanc* (1874) *Tirbanc* (1896), a *Tir Bank* (1890). Mewn adroddiad papur newydd ar ddeiseb i Gyngor Gwledig Aberystwyth yn cwyno am gyflwr y ffordd i Garregcadifor, [*Cambrian News*, 31 January

Tŷ'r Banc (1977).

1919], cyfeirir at y tŷ fel *Ysgubor y Banc.* Y *banc* a gyfeirir ato yn yr enw yw Banc Troedrhiwseiri. Lady Marjorie Pryse (1906–1993), o deulu Gogerddan, oedd yr olaf i fyw yn yr hen dŷ.

Ysbaen *gweler:* **Spain Cottages**
Ysgol Elerch *gweler:* **Hen Ysgol yr Eglwys**

ATODIAD I

Enwau tai presennol cymuned Bont-goch (Elerch). Nodir tai hanesyddol sy'n ymddangos mewn Cyfrifiad rhwng 1841 a 1911 gyda nod *.

Ael-y-bryn
Aldebaran
Brynolwg
Bwlchrosser*
Bwthyn Rhosyn Gwyllt*
Cae Bychan
Cae'r-gog
Carregydifor*
Cnwc-y-barcud
Craig Fach
Cwmere*
Cwm-glo *
Cwmrhydgoch
Dan-y-deri
Dôlgarn-wen*
Elerch Vicarage*
Erw-las *
Gerddigleision*
Ger-y-nant
Glanrafon*
Glanrhyd
Gwelfryn*
Hafod Elerch*
Hen Waith Dŵr, Yr
Hen Ysgol yr Eglwys*
Hengoed
Hirsitalo
Llannerchclwydau*
Llawrcwmbach*
Llawrcwmmawr*
Llawr-y-glyn*
Llety Ifan Hen*
Llyn-loew*
Moelgolomen*
Mynydd Gorddu*
Pantgwyn*
Pantyffynnon*
Pennant
Penrow*
Penrhiw*
Pen-y-graig*
Penygro*
Plas Cefn Gwyn*
Shop Bont-goch*
Sŵn-y-ffrwd*
Sŵn-y-gog
Sŵn-y-gwynt
Tai'r Felin *
Tanllidiart*
Tanybwlch*
Tan-y-cae*
Trefin
Trem-y-rhos
Troedrhiwseiri*
Tŷ Capel*
Tŷ Rhosyn
Tŷgwyn*
Tynewydd*
Tŷ'r-banc*

ATODIAD II: LLYFRYDDIAETH

Dogfennau:

Llyfrgell Genedlaethol Cymru:

British Records Association

Cyfrifiad: 1841–1911

Crosswood Deeds & Documents

Cwrtmawr Deeds & Documents

Edwinsford Estate Records

Glansevern Deeds & Documents

Gogerddan Deeds & Documents

Gwynfryn Deeds & Documents

Maesnewydd (Tal-y-bont) Deeds & Documents

W. Isaac Williams

NLW MS 21,820

SD/1719/109: Ewyllys Hugh John, Allt Goch, Llanvihangel Genau'r Glyn.

SD/1730/83: Ewyllys Robert Hugh, Bwlch Glas, Llanbadarn Vawr.

SD/ 1745/157: Ewyllys Thomas Hugh, Camddwr Mawr, Llanbadarn Vawr.

SD/1799/131: Ewyllys Richard James Morgan, Tyn y rhos, Llanvihangel Genau'r Glyn.

NLW Facsimile 378: Notes on the pedigree of the Brysgaga (Bow Street) and Llety Ifan Hen families.

Archifdy Ceredigion:

Cofnodion Byrddau Dŵr Sir Aberteifi. Bocs 18: 1/7 [C70]. Proposed bungalow for water treatment supervisor at Bontgoch.

[GB 0212] ADX/614ADX/614: Rural Lore Scheme (Wales), parish of Elerch, c.1920

Dwylo Preifat:

Nodiadau Ceredig Wyn Davies, Aberystwyth, ar deulu Edwards, Elerch.

Nodiadau Cledwyn Fychan, Y Fedw, Llanddeiniol.

Smith, Rita: *Gerddi Glandŵr.* (2002). [Teipysgrif yn nodi hanes ail-adeiladu'r tŷ a'r gerddi]. Copi ym meddiant Delcy M. Owen, y perchennog presennol.

Mapiau:

Arolwg Ordnans.

Map degwm a Rhestr Llanbadarn Fawr (1846).

Map degwm a Rhestr Llanfihangel Genau'r-glyn (1845).

Map of the Gogerthan Estate ... the property of Mrs Margaret Pryse. Vol. 2. Surveyed and mapp'd by T. Lewis, 1788 [NLW Maps Vol. 37–38].

Plan of Dolrhyddlan, Waunescog, Moelferem, Brynfedwen-Fawr & Cyneinog, in the parishes of Llanfihangel-Gener-Glyn and Llanbadarn-Fawr in the county of Cardigan [the property of Mathew Lewis Vaughan Davies Esqre, 1859. [Gogerddan 18].

Plan of Llawrcwmarweiddy or Llawrcwmbach in the township of Elerch, parish of Llanbadarn Fawr, 1859 [Gogerddan 381].

Plan of the farms of Cyneiniog, Dolrhyddlan & Waunescog, the property of M.L.V. Davies Esqre. [1860] [Gogerddan 18].

Plan of the Mannor of Pervedd ..., by Lewis Morris 1744 [Gogerddan 211].

Township of Caulan & Maesmor, by T. Lewis, August 1790 [Gogerddan 232].

Trôd Rhiwfelen, Trôd Rhiw yr Siry, ...by John Davies, 1764 [Nanteos 327].

Troedrhiwseiri & Cwmyglo mapped by T. Lewis, 1778 [Crosswood 345–6].

Gwefannau:

Ancestry: http://www.ancestry.com

Archif Melville Richards: http://www.e-gymraeg.co.uk/enwaulleoedd/amr

Archifdy Ceredigion: http://archifdy-ceredigion.org.uk

British Newspaper Archive: https://www.britishnewspaperarchive.co.uk

Coflein: http://www.coflein.gov.uk

Cymerau: http://www.cymerau.org

Cylchgronau Cymru Ar-Lein: http://cylchgronaucymru.llgc.org.uk

Cymdeithas Enwau Lleoedd yng Nghymru: http://www.cymdeithasenwaulleoeddcymru.org

Cynefin: http://cynefin.archiveswales.org.uk

Find my Past: http://www.findmypast.co.uk

Geiriadur Prifysgol Cymru: http://www.geiriadur.ac.uk

Grace's Guide to British Industrial History: http://www.gracesguide.co.uk/John_Warner_and_Sons

Greg Hill's Poetry Pages: http://www.greghill.cymru
Llyfrgell Genedlaethol Cymru: https://www.llgc.org.uk
Log Cabin UK: http://www.loghouseuk.com
Gwefan Cyngor Cymuned Ceulanamaesmawr: http://www.ceulanamaesmawr.org.uk
Gwefan Gymunedol Trefeurig: http://www.trefeurig.org
Gwilmor: http://gwilmor.com
National Archives: http://www.nationalarchives.gov.uk
National Library of Scotland: http://maps.nls.uk
Papur Pawb: http://papurpawb.com
Papurau newydd Cymru ar lein: http://papuraunewydd.llyfrgell.cymru
Sacred Waters: http://www.sacredwaters.co.uk
Treftadaeth Llandre: http://www.llandre.org.uk
Ysbryd y Mwynwyr: http://www.spirit-of-the-miners.org.uk

Deunydd Printiedig:

ap Dafydd, Myrddin (gol.): *Senghennydd*. (2013).
Bick, David: *The old metal mines of mid-Wales. Part 3: Cardiganshire – north of Goginan*. (1988).
Bick, David & Philip Wyn Davies: *Lewis Morris and the Cardiganshire mines* (1994).
Briddon, Carys: 'Bontgoch yn 1905'. *Papur Pawb* 146 (1989), 6.
'Capel Tabor ...'. *Papur Pawb* 227 (1997), 10.
'Cau'r Capel' [Ebeneser, Bont-goch]. *Papur Pawb* 122 (1986), 1.
Cerddi Dafydd ap Gwilym; golygwyd gan Dafydd Johnston [*et al.*]. (2010).
'Darganfod maen Tabor'. *Papur Pawb* 164 (1990), 8.
Davies, Elwyn: 'Hafod, Hafoty and Lluest'. *Ceredigion* 9 (1980), 1–41.
Davies, J. H. : Cardiganshire freeholders in 1760'. *West Wales Historical Records* 3 (1912-13), 73-116.
Davies, Llinos: 'Ysbrydion'. *Papur Pawb* 172 (1991), 6.
Davies, William: 'Agoriad Capel'. *Yr Eurgrawn*, 28 (1836), 241–3.
Dewi Emrys: *Beirdd y Babell* (1939).
Dubé, Steve: *This small corner: a history of Pencader and district.* (2000).
Edwards, Owen M.: *Cartrefi Cymru.* (1896).
Edwards, W. J.: *'Coelion Cymru'. Papur Pawb*, 383 (2012), 10.

Edwards, W. J.: 'Evan Isaac'. *Papur Pawb*, 384 (2012), 10.
Ein Canrif – Our Century [Cymuned Ceulanamaesmawr]. (2000).
Ellis, T. I.: *Crwydro Ceredigion.* (1953).
Evans, Gareth: 'O gwmpas y ffermydd – Fferm Llety Ifan Hen'. *Papur Pawb* 168 (1991), 5.
Evans, Gareth: 'O gwmpas y ffermydd – Fferm Moelgolomen'. *Papur Pawb* 169, (1991), 5.
Fychan, Angharad: 'Colofn enwau lleoedd'. *Y Tincer*, 382 (2015), 15; 384 (2015), 15: 394 (2016), 15; 397 (2017), 17.
Fychan, Cledwyn: 'Enwau ffermydd' [ardal Y Tincer]. *Y Tincer* 141 (1991), 17.
Fychan, Cledwyn: 'Llety'r March Melyn'. *Y Tincer* 141 (1991), 17.
Fychan, Cledwyn: *Nabod Cymru: llwybrau i'w cerdded mewn chwe ardal.* (1973). *gweler hefyd*: Vaughan, Cledwyn
Geiriadur Prifysgol Cymru, 1950–.
Gruffydd, W. J.: *Rhamant y Tabernacl: llawlyfr coffa canrif a hanner Eglwys y Bedyddwyr, Ceredigion, 1803–1953*; gol. W. J. Gruffydd. (1953).
Gwyll, Y – tirweddau Ceredigion; David Wilson, Ed Talfan ac Ed Thomas. (2017).
Hall, Jenny & Paul Sambrook: Uplands Initiative Plynlimon (North West) Archaeological Survey. (2006).
Howells, Erwyd: 'Bwrdd cymun Tabor'. *Papur Pawb* 165 (1991), 5.
Howells, Erwyd: *Good men and true: the lives and tales of the shepherds of mid Wales.* (2005).
Howells, Erwyd: *'Pant-y-Celyn'. Papur Pawb* 216 (1996), 9.
Hughes, Iestyn: *Ceredigion: wrth fy nhraed / at my feet.* (2016).
Huws, Richard E.: 'Arthur Morris, Elerch House, Bont-goch a'i deulu'. *Papur Pawb* 330 (2007), 8.
Huws, Richard E.: 'Y diweddar Mr Ceredig Lloyd (1941–2015)'. *Papur Pawb* 406 (2015), 8.
Huws, Richard E.: 'David James Thomas (1938–2009)'. *Papur Pawb*, 355 (2010), 11.
Huws, Richard E.: 'O Bantgwyn i Sydney : taith yr Archddiacon D. J. Davies (1879–1935)'. *Papur Pawb* 343 (2008), 10.
Huws, Richard E.: 'O Ben-bre i Bencader – ac yna i Bont-goch: hanes rhyfeddol siѐd Gerddigleision!'. *Papur Pawb*, 429 (2017), 10.

Huws, Richard E.: 'William Henry Edwards (1880–1915), Lerry View, Bont-goch'. *Papur Pawb* 331 (2007), 17.

Isaac, Evan: *Coelion Cymru*. (1938).

James, J. Spinther: *Hanes y Bedyddwyr yng Nghymru ...* (1896–1907).

Jeffries-Jones, T. I. : *Exchequer Proceedings concerning Wales in Tempore James I,* (1955).

Jenkins, David: 'Dafydd ap Gwilym yn ei fro'. *Y Traethodydd*, 133 (1978), 84–8.

Jenkins, David: 'Enwau personau a lleoedd yng nghywyddau Dafydd ap Gwilym'. *Bulletin of the Board of Celtic Studies*, 8 (1936), 140–5.

Jenkins, Gwilym: *Ar bwys y ffald: atgofion amaethwr o ogledd Ceredigion.* (2001).

Jenkins, Gwilym: 'Teyrnged: Gareth Teifi Evans'. *Papur Pawb* 416 (2016), 7.

Jones, Francis: *Historical Cardiganshire homes and their families.* (2000).

Jones, Francis: *The holy wells of Wales.* (1954).

Jones, Ieuan Gwynedd: 'Church reconstruction in north Cardiganshire in the nineteenth century'. *National Library of Wales Journal*, 20 (1978), 352–60.

Jones, Ieuan Gwynedd: 'Ecclesiastical economy: aspects of church building in Victorian Wales'. [In] *Welsh society and nationhood: historical essays presented to Glanmor Williams*, edited by R. R. Davies, Ralph A. Griffiths, Ieuan Gwynedd Jones & Kenneth O. Morgan. (1984), 216–31.

Jones, J. R.: *Atgof a cherdd*. (2003).

Jones, J. R.: 'Atgofion y teiliwr'. *Papur Pawb* 75 (1982), 4.

Jones, J. R. : *Cerddi Cwm Eleri.* (1980).

Jones, J. R.: 'Dewch am dro'. *Papur Pawb* 103 (1984), 4.

Jones, J. R.: *Rhwng cyrn yr arad'.* (1962).

Jones, Nerys Ann (gol.): *Oedi yng nghwmni beirdd gogledd Ceredigion.* (1992).

Lewis, Richard: *Olion bywyd cefn gwlad*. (1988).

Lewis, W. J.: *Lead mining in Wales*. (1967).

Lloyd, Thomas, Julian Orbach & Robert Scourfield: *Buildings of Wales: Carmarthenshire & Ceredigion.* (2006).

Llwyd, Hefin: 'Mrs Hilda Thomas, Cwmere'. *Papur Pawb* 339 (2008), 8.

McNicholls, Julie: 'From church school to traditional family home'. *Cambrian News,* 21 August 2014. *http://peaceofmined.co.uk/images/stories/article.pdf*

Mason, David 'Grugog': 'Cymoedd fy mro'. *Cymru*, 41 (1911), 164.
Moore-Colyer, Richard: *Roads and trackways of Wales.* 2nd ed. (2001).
Morgan, Elystan: *Elystan – atgofion oes.* (2012).
Morris, Wyn: 'Teyrnged: Geraint James Evans'. *Papur Pawb* 372 (2011), 8.
'Notes & Queries' [Pistyll Padarn]. *Transactions of the Cardiganshire Antiquarian Society,* 1(2) (1912), 24.
Nuttall, J. Ll. ('Llwyd Fryniog'): *Telyn Trefeurig; sef caneuon J. Ll. Nuttall.* 2ail arg. (1886).
Owen, Hywel Wyn & Richard Morgan: *Dictionary of the place-names of Wales,* (2007).
Palmer, Marilyn: "The richest in all Wales!": *The Welsh Potosi or Esgair Hir and Esgair Fraith lead and copper Mines of Cardiganshire.* (1983).
Peate, Iorwerth: *The Welsh house: study in folk culture.* (2000 reprint).
Richards, Melville: *Enwau tir a gwlad.* (1997).
Rudeforth, C. C.: *Soils of North Cardiganshire.* (1970).
Rhestr enwau lleoedd ... / A gazettteer of Welsh place-names ... (1967).
Sharpe, Frederick: *The church bells of Cardiganshire: their inscriptions and founders arranged alphabetically by parishes.* (1965).
Smith, Peter: *Houses of the Welsh countryside: a study in historical geography.* (1975).
'Tabor y Mynydd' [Ail osod y garreg sylfaen]. *Papur Pawb* 170 (1991), 6.
Thomas, Hilda: 'Bont-goch: [teyrnged i Mrs Jinny Evans, Pantycelyn]'. *Papur Pawb* 246 (1999), 6.
Thomas, Hilda: 'Teyrnged: William John Jones'. *Papur Pawb* 312 (2005), 10.
Thomas, R. J. : *Enwau afonydd a nentydd Cymru.* (1938).
Thomas, R. J.: 'Enwau Lleoedd: Eleri'. *Papur Pawb* 2 (1974), 3.
Thomas, Sulwyn: *Sulwyn.* (2008).
Vaughan, Cledwyn: 'Lluestau Blaenrheidol'. *Ceredigion*, 5 (1966), 244–63. *gweler hefyd*: Fychan, Cledwyn
Wade, E. A.: *The Plynlimon & Hafan Tramway.* (1997).
Williams, David H.: *Atlas of Cistercian lands in Wales.* (1990).
Williams, J. J. : *Y lloer a cherddi eraill.* (1936).
Wmffre, Iwan: *The place-names of Cardiganshire.* (2004).

ATODIAD III

Diolchiadau:

Staff Archifdy Ceredigion
Staff Comisiwn Brenhinol Henebion Cymru
Staff Cyfoeth Naturiol Cymru
Staff Llyfrgell Ceredigion
Staff Llyfrgell Genedlaethol Cymru

Trigolion Bont-goch: Mike a Jane Bailey, Peter Basnett, Giles W. Bennett, Emyr Breese, Lynn Clarke, Sean & Tracy Cleary, Elen Clwyd-Roberts, Freda Copeland, Charlotte Cosserat, Joan Dare, Robert Dare, Emyr a Lisa Davies, Meurig Davies, Siân Wyn Davies, Jennifer Drage a Jon Evans, Toby Driver, Karen Egan, Dewi, Tegwen a Keith Evans, Dilwyn a Rhydian Evans, Robert a Enid Evans, Sam Fox, y diweddar Gareth Teifi Evans, Gwladys a Gareth L. Evans, Jacqui Francis, David Elwyn Griffiths, Owain Hammonds, Richard Hamp, Ffion a Phil Hatfield, Alun G. Jones, Shân E. Jones, Steve a Lynda Kempley, Carolyn ac Evan Lynn, Meleri Mair, Monica Lloyd-Williams, Dafydd Mason, Roger & Mina Morel du Boil, Nicola Morgan, Ann Ovens, Delcy M. Owen, Siôn Pennant a Helena, Dylan S. Powell, Neilson Stirling, John Thomas, Clifford a Mavis Williamson, a Matthew Young.

Gareth A. Bevan, Carys Briddon, Ceredig Wyn Davies, Delyth Davies, Huw Davies, Steve Dubé, Kenneth W. Edwards, Hannah Engelcamp, Ceredig Evans, Rhian Evans, Peter Fleming, Angharad Fychan, Cledwyn Fychan, Gwen Griffiths, Ceris Gruffudd, Erwyd Howells, Iestyn Hughes, Gwilym Huws, Rhian Huws, Alan James, Elisabeth James, John M. Jenkins, Cecil Jones, Huw Ceiriog Jones, Lowri Jones (Clerc Cyngor Cymuned Ceulanamaesmawr), Maldwyn a Margaret Jones, Morfudd Nia Jones, Wynne Melville Jones, Cathryn Lloyd-Williams, Hefin Llwyd, Elsie Morgan, Fred a Delyth Ralphs, Vivienne Spurge, Clive Thomas a Gwen Thomas (Cyfoeth Naturiol Cymru), Carwen Vaughan a Tamlin Watson.

Golygfa o'r pentref adeg codi estyniad y Gwaith Dŵr (2014).

(Llun: Owain Hammonds).